余白と照応　李禹煥ノート

余白と照応　李禹煥ノート

酒井忠康

平凡社

制作中の李禹煥氏　パリのアトリエにて　2022　撮影＝李美那

目次

はじめに　9

I

李禹煥氏の仕事　16

II

省察に富む暗示――『余白の芸術』　27

創造的な介在　31

平凡な庭師のように　36

III

場所との照応　62

虹の物差し　84

IV

版画――ある対談から　105

新作版画のこと　113

版という場所で　117

V

M氏へ――李禹煥展のこと　127

もう一つの個展　134

《関係項―アーチ・関ヶ原》のことなど　146

いつもの喫茶店で　154

詩集『立ちどまって』を読む　163
おわりに　171
李禹煥　略年譜　179
図版リスト　187
初出一覧　188
著者紹介　190

はじめに

前置きとして、李禹煥（リ・ウファン）氏とのかかわりを簡単に書いておきたい。

出会いは、一九六〇年代末ごろなので、ずいぶんとふるい。その間、二人のかかわりは近くにあったり、あるいは遠くにあったりしてきましたが、とくに親しみを覚えるようになったのは、李さんが（そう呼ばせていただきたい）、一九八〇年に鎌倉に居を定めてからのことです。転居に際しては、作家仲間で、いわゆる「モノ派」の一人でもあった吉田克朗氏の誘いに乗ったようですが、私の職場（神奈川県立近代美術館）も住まいも同じ鎌倉ということもあって、何かと李さんとの出会いは多くなりました。

ところが、パリにもアトリエを持つようになってからの李さんとは、それまでとちょっと気分の違うかかわりとなりました。

李さんは、鎌倉とパリとを年に数回往復する。鎌倉にもどられるたびに、行きつけの喫茶店で話をするのがならいで、本書のなかにも、そのときどきの李さんとの話題が出てきます。

李さんの活動は、日本や韓国だけでなく、国際的な色合いをおびてきます。欧米の主要都市の、然るべき美術館で、李さんの規模の大きな個展が開催され、怱忙《そうぼう》をきわめるということになったのですが、そうした状況のなかにあっても、いつものようにコーヒーを飲んで互いの話に一喜一憂してきたのです。

ところが、李さんから海外での活躍の「現場」を見てほしい――といわれて、私は、その期待にこたえられないことがいくつかあったりして、そのたびにいたくもどかしい思いをしてきましたのも事実です。とりわけ第十三回高松宮殿下記念世界文化賞の受賞を促したボン市立美術館での個展（二〇〇一年）は、見ることが叶わなかったのを大いに悔んだ一例です。

そのかわりといっては安直にひびくでしょうが、グッゲンハイム美術館での個展（二〇一一年）のときには、オープニングの式典などにも出席し、その際の展示を主にした個展の感想を私はしたためました。そしてこれは見に行かれない――と断念していたのに、幸運にも「現場」に立つことができたのが、ヴェルサイユ宮殿の広大な庭園でくりひろげられた個展（二〇一四年）でした。李さんには、今後、これほどのスケールを持つ展示はないといわれていたので、私のなかには安堵するものがありました。園内の大作の数々を間近に目にし、また遠望しながら「現場」で鑑賞するよろこびに浸ったのは、貴重な体験で忘れられない想い出となっています。

いずれにしても、こうしたプロジェクトについての話を、李さんから聞いたのは、すべてコーヒーを飲みながらのことでした。しかも長年月にわたって親しいお付き合いができたのは、何といっても李さんの寛大な計らいによるところがあったからだろうと私は踏んでいます。

ごく自然に、そして平凡で目立たないようにしているのが、李さんの佇まいです。それでいて異を唱えるときには、一刀両断に済まして微笑を浮かべている。豊潤なロマンティシズムをいっぱいに抱えて、ちょっぴり恥ずかしそうにしている——というのが、私のなかの李禹煥さんです。

＊

本書のもっともはやい文章は、I章の「李禹煥氏の仕事」で、これは一九九三年に神奈川県立近代美術館（鎌倉）で開催された個展の図録に付した挨拶文です。以来、今日まで、私はさまざまな機会に李禹煥氏のことについて書いてきましたが、その多くは断章的な性格のものと呼んでもさしつかえない。これはおそらく、私の思索のかたちが、そうした結果をもたらしたのだと思います。

このたび、あらためて一本に束ね、年代順に配してみて、現代美術の複雑な動向のなかで、いかにこの作家が創造的な仕事を展開するために、日夜、思索の時を過ごし、新しい芸術の見方を提案しようと苦心していたのかを知りました。

しかし、私は作品の査定や作家の社会的、歴史的な位置づけをこころみるというより、むしろ創造する作家の立場に、わが身を移して、ひたすら共感していたような気がします。別の見方をすると、私の職業意識（美術館での仕事の経験）によってとらえようとしていたからでしょうが、展覧会の全体の構成、とりわけ展示の領域について、私の関心と興味が注がれているのは事実です。

そうした意味もふくめて、いささか欲目ですが、私は「李禹煥ノート」を副題として上木したいと考えたのです。問題は表題でした。

本書の最後に、私は李禹煥氏の詩集『立ちどまって』（書肆山田、二〇〇一年）を取り上げ、詩人としての資質にもふれましたが、そのときに「観えるもの」と題した一篇に深く感銘をおぼえるものがあったのです。

日本の旅館のガランとした漆喰壁の畳の部屋。その一角に小さな一輪の花が鮮やかに生けてある。それだけのことだが、なぜか部屋より大きくほのかな余白が広がる。この空間に染まると静かに観えるものがあり、ふと人は透明になる。

この詩は、「余白」とか「照応」が大切な表現要素となっている李禹煥氏の、内省的な一面と、いっぽうで大きく展開する精神の幾何学を暗示しています。そんなところから私は、「余白と照応」を表題にすることにしたのです。

《項》
鉄、石
1984
神奈川県立近代美術館蔵

I

李禹煥氏の仕事

周知のように、いま、世界は人類存亡の危機に直面しているのではないか、と感じさせるような、さまざまな出来事や情況の変化のなかにあります。現代美術の現状と未来について想いを馳せるときにも、当然、世界の変化と相互浸透するかたちでとらえなければならないし、現代美術が内包している課題もまた、大きく拡大し多次元化することになったと思われます。

李禹煥氏の仕事は、こうした時代の変化のなかの日常を、私的矮小にとざすのではなく、暮らしの感覚を研ぎ澄まして、人間の本然の姿をどこに求めたらいいのかを問うものになっています。それは同時に、氏が芸術史の全体とかかわる史的展望の見通しをもって、自らの仕事と人生の意味を確認する「求道者の精神」に結びついた課題でもある、といっていいと思います。

一九三六年に韓国に生まれた李禹煥氏は、一九五六年に来日し、以後、日本に住んでいます。その間、一九六〇年代末の前衛芸術運動として知られる「モノ派」の理論と実践における中心的存在として、日本の現代美術につよい衝撃をあたえ、その後の展開に大きな影響を及ぼして今日に至っております。

＊

確かに李禹煥氏は、現代美術の推進者の一人であり、また、その仕事は国内外でも高い評価をえていますが、しかし、氏の芸術の根本には、現代美術の領域における、革新的な役割の強調だけではとらえられないものがあります。

創造的な芸術家は、いつの場合でも固定した見方に懐疑的なものです。それはまた自分の仕事にたいする自己採点にも当然きびしく作用します。李禹煥氏が、さまざまなものを抱えている人間と社会の、そのトータルな意味での実存を気にかけるのは、自らの芸術もそうした人間の全的生命との照応関係にある、という意識からだと思います。不明なものや不透明な世界にひかれて、潜在的な想像力との結びつきのなかに、自らの芸術を立脚させるのは、現実が解釈の気ままなトリミングではないと考えているからです。氏は、こんなふうに書いています。

「作品は、現実そのものではないし、観念の塊でありえるわけではない。それは現実と観念のあいだにあって、両方から浸透され、また両方に影響をおよぼす半端な次元のものだ。この半端さこそ、少し人間離れした、より大きな作品の領域であるような気がする。」(「セブン・アーチスツ——今日の日本美術」帰国展図録、一九九〇年)

ある文学者のことばをかりれば、これは「ささやかな日常感覚」で、明示されるものと無化するものとの、かぎりない省察のなかに求められる世界といえるかもしれません。省察の深さにおいて、それは李禹煥という作家の仕事の一貫性を示す方法の簡潔さを物語るであろうし、精神の所在の、より生き生きとした瞬間がそこに開示されるのだとすれば、現実の断片としての作品が、新しい目で生活をみる条件をかえることになるからです。

芸術の観念を加担させがちな、現実にたいする不満は、しばしば憧れというかたちで、超現実的な世界を指向しましたが、少なくとも今日の現代美術における「現代」は、この歴史的な枠のなかに、まるくおさまるものではないような気がします。手がかりの提示といえば、あまりにも漠然とした印象をあたえますが、現実を手にすることのできない芸術表現の制約は、芸術自体の新しい生命の形式を探ることによって、時代の変化を感知する意識の領野と結びつき、その過程は長期で苦痛にみちているからこそ、いま、という時間

《項》
鉄、石
1977
神奈川県立近代美術館蔵
撮影＝酒井啓之

の凍結のなかで執拗に問いなおされるのです。

＊

今回の展覧会（「李禹煥」展、神奈川県立近代美術館、一九九三年）は、新しいシリーズ《照応》十点を中心に、《風と共に》のシリーズから十四点を加え、それに李禹煥氏の空間の「詩学」における、もっとも根底にひそむ「滅亡の思想」をも暗示する彫刻二十二点が展示されます。そしてドローイングと版画七点を加えた構成になっていますが、氏の近年の仕事の充実ぶりを、いかんなく発揮した展覧会になると確信しています。

展覧会を企画した段階から、氏は、足繁く美術館を訪ね、展示空間のあらゆる条件を検討して、自らディスプレイのプランをつくりました。

氏のことばをかりれば、「目覚めた空間」の設営に心を配られたということになるかもしれません。強靭な意志を秘めた作品が、展示の制約のなかで、展示空間を新しい空間に変貌させるという、その空間の「詩学」を示すものとなるでしょう。空間というのは、それ自体なにかを生み出すものではない。空間を生きたかたちにするには、そのなかに「変化」を内在させなくてはならない。李禹煥氏はこう書いています。

「最小限の触れ合いで最大限の交感を呼びたい。そのために無に帰る訓練を積むことによって、世界のなかにぼくを解き放たなければならぬ。自らを世界の一部として働かせたほうが、ぼくを全一にする直接経験が可能になる。こういう意味でぼくは場所的なミニマリストである。」(『李禹煥』美術出版社、一九八六年)

ここでは、作家とともにみるものが共有する「場」の設営が語られている、と解していいでしょう。「無に帰る訓練を積む」とはまた、天地自然の造化に順応する東洋思想の、人為を超えた自然界の摂理に、敬意をはらってきた精神に根ざしたものですが、李禹煥氏の幅広い経験が示唆する芸術思想の用心深い手立てと心得を物語っているような印象をもちます。

しかし、確たる精神と信念をもたない芸術は、新鮮な感動に欠けたものになってしまいます。ですから、実につつましく語られている、この「無の訓練」を、積極的な意味にうけとらなくてはなりません。合理的・客観的な近代西欧における世界像の強固な城の建設にかかわるようなことばとしてではなく、みるものの心に、生命の神秘にたいする新鮮な感動をよびおこす、精神の自由な解放にもとづいたことばとして読みかえなければならないでしょう。

李禹煥氏の三十年余に及ぶ仕事は、その茫洋とした宇宙的な精神が、試練の「場」として選んだ芸術表現の徹底にあるのだと思います。最も身近な画材や道具の研究あるいは表現方法や手法の追求にはじまって、氏の思索の運動と制作の展開は、現代美術のかぎりない変貌に向けて、これからも探求の要請を止めることはないだろうと思います。

＊

以上は、わたしが李禹煥という作家をトータルな意味で知るきっかけとなった個展の際に、図録に寄せた挨拶文である。いささか気負ったところがあるのは、この展覧会の一年前に、わたしが美術館のスキッパーとしての任に就いて、少なからず張り切っていたせいであろう。

展覧会の展示作品他に関しては文中に記した通りであるが、この展覧会が李禹煥氏に提起したもっとも切実な課題は何であったかというと、それは自作と展示空間との緊密な照応関係にあったといっていい。

すでに一九八八年に岐阜県美術館で開催された個展「李禹煥展——感性と論理の軌跡——」の展示で体験されていたとはいえ、その後、国内外の美術館や画廊での個展に際して、氏は有形無形さまざまな創意と工夫をくわえた展示をこころみ、そのすべてを傾注したいと考えたのが、すなわち一九九三年の神奈川県立近代美術館（鎌倉）での個展であったと思える。

そうした点で氏はのちに「戸惑いの展示」であったと書いているけれども、それはそれとして、李禹煥氏について書いたこの一文を、拙著『彫刻の絆─現代彫刻の世界』（小沢書店、一九九七年）に収録した折に、付記として記した以下の文章を（拙著がすでに絶版となっているので）、ここでも採用しておきたい。

＊

近年、李禹煥氏はパリに仕事場をもち日本とのあいだを行き来することが多くなっている。その間にソウルや日本だけではなく、ヨーロッパ各地でも個展を開催してエネルギッシュな活動をくりひろげている。それぞれの個展について、ここで触れることはできないけれども、何か馥郁たる時間の流れのなかで、李禹煥氏が深い詩想の陰影をこころに刻んでいるようすをものがたる、二つの資料を紹介しておきたい。

ひとつは『リベラシオン』（一九九五年八月二十九日）紙上での「芸術家の人生」（なかなか

内容の豊富なインタヴュー記事）と題し、世界の錚々たる芸術家のひとりとして李禹煥氏が登場した記事である。

そのなかで石と鉄板による彫刻についての質問に、氏は石も鉄も自然からあたえられたものだが、石は「野放しのまま」の自然であるけれども、鉄板となった鉄は「飼い慣らされた」自然である——といい、さらに、石と人間とのあいだに置かれる鉄板は、自然とのあいだに架けられた「橋」の役割を担うのである、と答えている。実に暗示的で面白いことを考えるものだ、と、わたしは感心した。また作品があたえる「沈黙」の由来についても、氏は「作家の介入による余白の言語」のことで「物理的に空っぽの空間を余白とはいわない」と答えている。質問者が「あなたは哲学する作家ですね」といっているが、わたしも同感である。

いまひとつはリッソン・ギャラリー（ロンドン）での個展（一九九六年十月十八日—十一月十六日）に際して、同ギャラリーで刊行した一種の作家語録といえる『LEE UFAN』がある。編者のジェーン・フィッシャーは、そのテキストのなかで、李禹煥の作品には、配列や構造のなかに石や鉄を強制的に押し込めるような、物質にたいしての暴君的なふるまいがない、と述べている。氏がしばしば語っているように、これは人間がつくらないもの、つまり、自然にあるものにいかなる価値を認めるか、ということである。

Ⅱ

《項》
鉄、ガラス、石
1968/69
作家蔵（鎌倉・李禹煥氏宅の庭に設置）

省察に富む暗示——『余白の芸術』

一九三六年に韓国に生まれた李禹煥氏は、二十歳のときに来日し、その後、美術家となり、六〇年代末から七〇年にかけて、「モノ派」と呼ばれる前衛的美術家たちの中心的存在として活躍した。その「モノ派」は戦後の日本における現代美術の一断面を示したということで、いまでは「具体」美術とならんで世界に知られるところとなっている。

李氏の海外への紹介の努力が一役買ったことは言を俟たない。近年はパリにアトリエを持ち、日本との間を頻繁に行き来しているが、すでにヨーロッパ各地の主要な美術館で大きな個展を開催するなど、欧米でもよく知られた美術家の一人となっている。

その仕事ぶりは、袋小路に入ったといわれる現代美術に、ある種のさわやかな風を送っている。住まいが鎌倉なので、何かと出会いは以前からあった。わたしにとっては、いろんな面で相談を持ちかける、いわば頼りがいのある先輩としての李氏なのだが、帰国のたびに交わす美術情報（まあ、世間話といえるものだが）は、たがいの無沙汰をわびる挨拶となっていて、結構、話題にも事欠かない昨今である。

＊

しかし、考えてみれば氏は日本語で話しているのである。また日本語で評論を書き詩作もするのである。この事実がいかに難儀なことであったかということに、あらためてわたしが気づいたのは、詩集『立ちどまって』（書肆山田、二〇〇一年）を贈られたときであった。[*1]

そのなかに高校生時代と来日当初に韓国語で書いていたという詩の日本語訳が入っていた。氏の「韓国語」が自身の脳髄をチクチク刺していたのに違いない。わたしは根無し草となる人の不安をその詩に読んだような気がした。アイデンティティを求めて自問しているからなのではない。もう一人の自分（他者）との出会いが、そこに重なっているからである。日本にいて日本の内部者とは見られない自分ということである。

こうした経験が氏の日本語を養ったと同時に、わたしはこのことが李禹煥氏の、詩心を刺戟し、美術を眺める視点を定め、またすべてをひっくるめて、氏の「魂」の遍歴を養成するところとなったのだと想像している。

本書は六〇年代後半から制作のかたわら書いてきたものをまとめたものである。多くは

随想風の文章だが、いずれも省察に富み暗示的[*2]である。表題となっている「余白の芸術」では、

「芸術作品における余白とは、自己と他者との出会いによって開く出来事の空間を指すのである」

と書いているように、すべて新しい（あるいは刺戟的な）ものの見方、考え方の促しがある。しかし李氏の仕事自体は、威丈高な構えや流行の素ぶりを見せたりしない。静かな佇まいである。待てよ、とじっくり考察する我慢づよさがなければ、一言も語りかけてはくれない。

「私は、存在感で人を圧倒する作品は好きでない。／だからといって理念や論理を押しつけてくる作品も嫌いだ」

と「画集の断章より」で述べ、さらに次のように書いている。作品というのは「現実と観念の間にあって、両方から浸透され、／また両方に影響をおよぼす媒介的な中間項なの

だ」と。

哲学的な問題を論理の強制から解き放って、不確定なもの、またつかみがたいものに向かって生成して行くことが大事なのだという考えなのであろう。

この本はことばに神経を配っている李禹煥氏の詩心のあそび、日常の「場」を表現の新たな「空間学」とした現代美術家の創作ノート風のエッセイであり、そして出会いの作家たちとの印象記などで構成されている。

*1——出会ったはじめの頃の李禹煥の日本語は、かならずしも流暢な日本語ではないが、韓国語のイントネーションを残していて、訥々と語り、人柄に似てきわめて自然体な感じがした。来日してから拓殖大学で日本語を学んでいるが、同時に志賀直哉や川端康成あるいは井上靖の小説(「少年」)などを原稿用紙に書き写して日本語の「練習」をしたと語っている。詳しくはII章「平凡な庭師のように」の49–51頁を参照されたい。

*2——より創造的な仕事をしようとすれば、新しい思潮に関心をもつのは当然である。しかし作家の視界の内側から発光してくるものがなければ、それは単なる下界の化粧に終わる。暗示的というのは、ある意味で、それとない——ということで(消極的な感じもするが)、「暗示」というのは心の底の言葉の苗床に育つのである。したがって創造者にとっては心の深みに降りて行くきっかけともなる。

創造的な介在

過去を手元に置くのは、未来の時間を計測する目安とするからだが、芸術家は「創造的な介在」を経なければ、この考えには頷かないだろう。『リベラシオン』紙（一九九五年八月二十九日付）のインタヴューで、李禹煥は石と鉄板の作品について質問されて、こんなふうに答えている。

「石も鉄も自然からあたえられたものだ。しかし、石は〈野放しのまま〉の自然だが、鉄板となった鉄は〈飼い慣らされた〉自然である――。」

さらに石と人間とのあいだに置かれる鉄板は、自然とのあいだに架けられた「橋」の役割を担うのである、と語っている。じつに暗示的で面白い考えだ。また作品があたえる「沈黙」の由来についても李禹煥は「作家の介入による余白の言語」のことで「物理的に空っぽの空間を余白とはいわない」と答えている。

「創造的な介在」というのは、論理の強制からどんな場合でも自由だ、ということを意味している。しかし論理の柱の危ういところには、新しい思想に裏打ちされた芸術の展開は生まれてこない。不確定なもの、また摑み難いものにむかって生成して行く彼の仕事は、近年、可能な限り、自己の考えや行為を抑えてそっけないほどシンプルな印象をあたえるようになってきた。自身は「余白の芸術」と称しているが、要するに作品それ自体の完結のなかに進むのではなく、知覚の地平を拓いて、媒介的なもの、また相互作用を派生するようなものとして展開させているのである。李禹煥のことばでいえば「照応」の世界あるいは「目覚めた空間」ということになる。

これはある種の超越的な空間であると言い換えてもいい。空間というのは、それ自体何かを生み出すものではない。空間を生きたものにするのは、そのなかに「変化」を内在させなくてはならない。李禹煥は、こんなふうに語っている。

「最小限の触れ合いで最大限の交感を呼びたい。そのためには無に帰る訓練を積むことによって、世界のなかにぼくを解き放たなければならぬ。自らを世界の一部として働かせたほうが、ぼくを全一にする直接経験が可能になる。こういう意味でぼくは場所的なミニ

マリストである。」（『李禹煥』美術出版社、一九八六年）

作家が第三者と共有する「場」の設営である。「無に帰る訓練を積む」とは、天地自然の造化に順応する東洋思想の、人為を超えた自然界の摂理に敬意をはらった精神に根ざしたものだが、彼の幅広い知見と経験が示唆する芸術思想の用心深い手立てと心得をものがたっていることばと解していい。

半世紀近い彼の仕事は、こうした宇宙的な精神が、一種の試練の「場」として選んだ芸術表現の徹底した追究でもあった。

＊

李禹煥はその原点となった「モノ派」についてこう語っている。

「——ものを引き出し、また違った場所に移し替えることによって他者感覚つまり身体感覚を喚起」したのである。（『SAP』二〇〇二年九号）

李禹煥は作品を通して開かれた世界の意味が、作家の所有に帰すことに対して疑義のまなざしを向ける。世界の未知（神秘）と出合うということは、あくまでニュートラルな時空間のなかで発現することなので、そういう点で彼を「ミニマリスト」と呼んでいい。作品そのものというより作品の周囲の空間をも精彩あるものに変える――という意味では、画布も庭に化し、鉄板の上の石にしても魂の声を聴く「装置」に変貌する。

戦後日本の現代美術の動向として「具体」美術と並んで世界に知られるようになった「モノ派」であるが、李禹煥の海外への紹介の努力と個展を通じての持続的な活動なくしてはありえないことであった。それは「他者性の意味を問い、開かれたアイデンティティへの道を暗示してくれるものとなろう」と語る李禹煥の、生きることと創造することと堅くむすびついた思想となっていたからである。

したがって「モノ派」の時期というのは、世界との共時的な現象を確認できた刺激的な時代であった。それは李禹煥にとって日本の動向を外から眺める視点の獲得にもつながった。その意味では「モノ派」は自然発生的に生まれたのではない。世界の視点を「創造的な介在」として誕生したのである。

ところが李禹煥のこの時期の批評と活動は、日本では理解し難い文脈の構造をもっていた。そのために十分な評価を勝ちえなかった。むしろ海外の評価が先行した。日本の美術界の閉鎖性を憂慮した李禹煥が、ヨーロッパに拠点をもとめたのは、いわば当然のことだったと言える。

李禹煥は久しくパリに仕事場をもち日本との間を行き来することが多くなっている。その間にソウルや日本だけではなくヨーロッパ各地の主要な美術館で大きな個展を開催して、エネルギッシュな活動を繰り広げて今日に至っている。

いつも問題意識をもって挑戦しているその仕事振りは、袋小路に入ったと言われる現代美術にある種の爽やかな風を送っている。

追記
この一文は第十三回高松宮殿下記念世界文化賞を受賞した李禹煥について、その活動をかいつまんで記したものである。
選考委員会の候補者リストに李禹煥の名を挙げた一人が、当時、国際顧問（ドイツ）であったリヒャルト・フォン・ワイツゼッカー氏であった。その後、国際顧問と選考委員との懇談の席で、ワイツゼッカー氏が「李禹煥：一九七三年から二〇〇一年の絵画」展（ボン市立美術館、二〇〇一年六―九月）の魅力について静かな口調で語っていたのを憶えている。

平凡な庭師のように

作品を見る面白さは、呼応すること、出会いにある。

李禹煥「作品の場所性」（『余白の芸術』）

過日、わたしは李禹煥が野外で彫刻を設置する現場に立ち会った。

この秋（二〇〇三年）、御用邸のある葉山の海に近いところに、わたしどもの美術館（神奈川県立近代美術館）の新館がオープンする。その新館の入口のところに李禹煥の《項》（一九八五年）を置くことになって、作家に設置をお願いしたからである。

これまでその作品は、鎌倉本館の前庭に設置してあったので、むしろ移設と言ったほうがいいかもしれない。が、しかし、鎌倉のほうにあったときにも、李禹煥は一度四個の石を、すべて別のものに置き換えている。地面に敷いた厚い鉄板だって、正直なところ最初に制作したときのものと同じものかどうか、わたしには判別できない。

こういう融通無碍というか変幻の自在さに、李禹煥の素材との遭遇における驚きの体験や物質的なものとのつきあいのイロハが隠されている。そして作らないモノに世界で最も早く着目した「モノ派」の発想と理論のユニークさについては、後々、語るけれども、なぜなのか不思議でしようがないのは、彼の作品の前に立って、じっと眺めているうちに、こちら（つまり、みている側）の身体を通して、ごくごく自然なかたちで、少しく高まった何か清浄な世界と呼ぶほかない次元の、神秘主義的な体験にも似たような、瞑想の空間に参入している自分に気づく、ということなのだ。

この体験は、一度や二度ではないから、やはり、これは独創的な発想と結びつく一種の誘引力なのかもしれないが、要するにそれは李禹煥の作品との関係によって生じたことと言っていい。茫洋として、宇宙的な李禹煥の思索の運動とその奥深さについては、トコトンその作品とつきあってみると実感される。

別に彼は殊更なことを目指しているわけではない。それはわたしたちの日常のなかに発見する「場」の変貌の不思議に立ち会っていることなのだ。彼の仕事は、そういうことをさりげなく知らしてくれるところが面白いのである。

これは李禹煥の人と作品に、いささか馴染みの感情を寄せてきた、わたしの正直な印象であるが、李禹煥の作品との出合いには、いつの場合でも、何か爽やかな雰囲気につつまれるのを感じる。この体験はわたし一人のことではないと思う。そのことをここでは言っておきたい。

《項》
鉄、石
1985
神奈川県立近代美術館蔵、葉山
撮影＝高嶋雄一郎

＊

李禹煥の仕事は、いつの場合でも威丈高な構えや流行の素振りをみせることがない。だから、いたって静かで平明な佇まいのうちにある。よほどこちらの感覚を裸にして、意識の日常から離れていなければ、その仕事の「詩と真実」に出合うことはない。新しい事象に対応するどんな変化にも共鳴する感受性の柔軟さと、待てよ、と、じっくりと考察する我慢強さがなければ、一言も語りかけてはくれないという、ある意味で厄介な作品と言ってもいい。

そういうところが、じつはこの李禹煥の作品の魅力なのだ。

彼はその著『余白の芸術』（みすず書房、二〇〇〇年）のなかで、「私は、存在感で人を圧倒する作品は好きでない。／だからといって理念や論理を押しつけてくる作品も嫌いだ」と述べ、さらに次のようなことを書いている。

「しょせん作品は、現実そのものではないし、／観念の塊であるわけではない。／それは現実と観念の間にあって、両方から浸透され、／また両方に影響をおよぼす媒介的な中間項なのだ。／この中間項的な要素こそは、／作者を越えるものであり、日常離れした作品領域なのである。」（「画集の断章より」）

可能なかぎり、自分の考えや行為を限定した、素っ気ないほど単純な印象をあたえる彼の作品と、その作品がかかわる場の空気についても、自身は「余白の芸術」と称したいと言っているように、作品それ自体の完結性のなかに進むのではなく、「媒介的な中間項」つまり相互の関係（作用）によって、それが「詩的で批評的でそして超越的な空間が開かれることを望む」（「余白の芸術」）と言うのである。

世界の現代美術のなかで、一種、独特な思想を体現している李禹煥の芸術は、慧眼の士の評価によって、このところようやく国際的に知られるようになった。

二〇〇一年度の「高松宮殿下記念世界文化賞」の絵画部門の受賞者となった理由の一つは、ミニマル・アート以降の絵画が行き止まりになって、その突破口を模索しているときに、彫刻における作ることと作らないことと同様に、李禹煥の絵画における描くことと描かないことが、どのような関連をなしているのか——という関心が、国内外の推薦者によく訴えるところとなったからである。

これは彼の仕事が、芸術史の全体とかかわる史的展望をもち、また時代の変化に対する柔軟な適応性をみせている証拠でもある。が、しかし、李禹煥自身は、そういうことに自足しているわけではない。

わたしとの交友のなかで、彼はしばしばハッとするような、啓発的な言葉を口にするときがある。それは自分自身をみつめている、もう一人の自分がいて、たえず自足する自分を監視している——というようなようすのなかで彼は語る。

ほんの一例であるが、彼のよく知る「斎藤義重展」（一九九九年）を、わたしどもの美術館で開催したときに、彼は「斎藤義重の仕事の面白いところは、破壊と構築とを同時に進めているところにある」と言った。これは芸術のもつ不思議な力について、彼がそれまで経験してきたことを集約した言葉でもあったとわたしは解釈している。一言加えるなら、斎藤義重というのは、彼が超克する相手としてみなしてきた作家の一人なのだが、李禹煥にわたしが感心するのは、彼は的確で、鋭い批評の言葉を吐くけれども、いちいちそれが自身に向けられた課題ともなっている点なのである。

既存の価値に唯々諾々としているのならば、それはもはや李禹煥ではない。自己を高める精神の靭《つよ》さが、彼にそうさせているのだとわたしは思う。

考えてみれば、李禹煥の仕事の姿勢が一貫しているのは、思考の機軸がしっかりとしているからである。来日してすぐに哲学を専攻しているのも、今日の李禹煥の思想形成の上で軽視できない一事だが、同時に、美術家としてのスタートを切っているのは、哲学の概念で割り切れないものをとらえようとする、彼の眼差しとも関連している。

その眼差しが、李禹煥のこころの底のほうに沈殿するもの（＝経験）に、光をあたえているのだとすれば、いったい、何が、どういう思索の方法が、新しい事態の発生を待ち受け、対処し、事態が生起した結果を検証し得るのか——と考えるのは当然のことと言える。それは彼にとって、詩を読む（ライナー・マリア・リルケを好んでいた）行為のなかで、肉体を震わせることとも連動したであろうし、幼年期に文人として知られた黄見龍《ファン・キョンリョン》から漢詩と書画を学んだことや、来日してから日本画を学んだことが彼に運筆の妙を促し、道具や手が担う役割についての思索へと繋がった、とわたしは想像する。

しかし、多くのことは、新しい事態が発生することによって知ったのである。別の言い方をすれば、新しい事態を予感させる試みの過程で直感したのだと言ってもいい。

こころの働きと身体性の、この両義性に関心をもつに至った経緯と、それがいかに仕事の中心に働く重要な要因であったかを、彼は繰り返し語っているが、アンフォルメルやアクション・ペインティングの余韻を残した一九六〇年代はじめの時期であったことを考慮に入れるならば、そこに有形無形の関連を見出すことも可能であろう。

しかし、李禹煥のなかに、どのような影響をもたらしたのか、ということになるとはっきりしない。さまざまな体験の記憶と関連することを介して、彼のなかに自覚された思索の運動として作用したのだろう、とわたしは思う。感覚は物質的な現実の世界とかかわりをもち、感受の印象を外から作用するけれども、理性は外から入ってくるものを内側から秩序づけ、整理し、意味づけようとする。この外からの作用と内からの論理的な必然性とを、どのように関連づけたらいいのかという問いを、彼の「中間項」の発想が促したのだ、とわたしは想像している。なぜなら芸術の世界というのは、基本的に仮象の現実とかかわりをもつことになるわけだから、その「中間項」の地点で新しい秩序の世界を求めるのは、ある意味で納得の行く選択であったと思うのである。

*

李禹煥の「モノ派」への道が用意された背景に、わたしは以上のような経緯を想像する。とりあえず、身近な存在である日常の、あちこちに散見される「モノ」を手がかりとしたところの、「モノ」をみつめ、「モノ」と対話し、「モノ」との関係を探る過程の仮設的作品（後の「インスタレーション」と称される作品と根本的に違う）を、彼は一九六〇年代後半から画廊で矢継ぎ早に発表している。石、鉄板、針金、ガラス、綿、ゴム、ロープ、木などの素材の組み合わせによる初期の作品がそうだが、それらはすべて一回性の出来事として記憶されるところとなった。なかでも鮮烈な衝撃をあたえたのは、ガラスと石のパフォーマンスであった。「モノ」と身体との予測を超えた痕跡をとどめ、この反復の不可能性が、その後「モノ派」の作家たちに、例外なく直面させた作品は旧作の再制作とはなり得ない——という考え方を確認させている。

李禹煥の鎌倉の自宅を訪ね、自宅の庭にある《項》（一九六八／六九年、26頁）をみるたびに、わたしは旧作の再制作というのは、もしかしたらみる側の記憶（意識）のなかに生まれるものかもしれない、そんな思いに誘われることがある。パリのセーヌ河畔に設置された《関係項》（一九七八年）をみたときには（設置されてしばらくたってからであったが）、作品がすでに風景の一部と化している不思議を知らされた。

いずれにせよ、李禹煥は自らの仕事について「あるがままをアルガママにする」ことだったとして、次のように書いている。

「身体を介して、そこにあるモノとモノ、モノと場との捉え直しを行なうこと、つまりモノや場を出来るだけイメージで歪めたり内面化せず、それを活かす方向で、移し替えたり組み直したりして、知覚の状態をもよおすのが表現の方法なわけである。自然物や工業用材をニュートラルに用い、壁、コーナー、床などの空間と取り組んだのも、世界と直接的な相互的な関わりを探ってのことだったと言っていい。」（「起源またはモノ派のこと」）

李禹煥といえば、これまで（そして、これからも）「モノ派」に対する理解の地平を拓いてきた（そして、拓くであろう）作家として知られている。しばしば彼の考え方の一端として引用されてきたのが、『出会いを求めて』（田畑書店、一九七一年）の緒論である。

約三十年を経て、「現代美術の始源」という副題をもつ新版（美術出版社、二〇〇〇年）が刊行された。わたしはこんど再読する機会をもったけれども、哲学的言辞の硬質さをのぞけば、じつに論理的で明解である。まさに李禹煥の芸術における〝マニフェスト〟とでも呼ぶに相応しいものとなっている。哲学者ハイデガーやメルロ＝ポンティの著作を援用した論理に、実作者としての立場から自己省察を加えた独自な展開は、まったく見事と言うほかない。

かつて「神々や自然のような未知なもの」「外界と関わる直接性の強い出来事」であったパフォーマンスを例に引いて、彼はこう書いている。

「木や石や鳥や人々が、お互いの関わりのなかで見たり感じたり触れるという他者性を認め合うことが出来た。一枚の絵を見ても、そこに周りの物事や遠くの世界に想像力をかき立てる媒介性が働いていた。一点の彫刻はまた、それ自体の自足性ではなく、それは辺りの空間や人々との関係を鮮やかに照らし出す喚起項であった。」

そして「見ることによる人間と世界との鮮やかな関係を浮き彫りにする」李禹煥の表現行為が、当初、ラディカルに試みられた理由は、現前の事実として（すでに形骸化したものとなっていたにもかかわらず）日本の「近代」（ないし近代的なるもの）が依然として支配的であった情況（世界に対して開かれないのは、いまも本質的に大同小異だが）のなかで、彼を含めた「モノ派」の作家たちが、芸術の理念や制度に執拗なほど挑戦的だったのは、こうした日本の社会（美術界）の閉鎖性にも起因していたのではないかと思われる。

＊

日本における戦後美術の一九七〇年代というのは、世界との共時的な現象を確認できるきわめて刺激的な時期であった。いま振り返ってみると、例えばイタリアで起こった「アルテ・ポーヴェラ」のような動向とも一脈通じるところがある。要するに既成の芸術に新しい次元で挑む作家たちが、世界の各地に現われた時期とかさなったのだとみていい。

さらに言うなら李禹煥と「モノ派」の作家たちのそれは、日本で起こった現象であるということを視野に入れておく必要がある。「モノ派」の特質を矮小化するようで、これは危険な見方かもしれないが、この世界との共時的な現象を必然なものとし得たのは、逆説的な言い方になるけれども、彼が日本にいて、日本の内部に自己の位置を見出せなかったこともまた理由のうちに入ると想像するからである。

李禹煥が、一人そうだったというのではない。同時代の美術を日本にいて、日本の内部からではなく、世界の動向と関連させながら美術の現場を巡り、批評の筆を執っていた外部者の存在があったことを、李禹煥はわたしに語っている。若くして亡くなったジョセフ・ラヴやチェコに帰国したヴラスタ・チハーコヴァーなどである。いずれも「モノ派」の作家たちに理解を示して声援を送っているが、李禹煥も含めて、わたしはこういう人たちの信頼関係のなかに排他的民族主義の壁を超える一つの「越境性」をみる。したがって、「モノ派」が日本の美術風土のなかから自然発生的に生じたというより（地理的な場は確かに日本以外ではありえないが）、出現の背景に最初から世界の視点があったということを、ここであらためて強調してもいいと思っている。

ジャパノロジストの視点でも日本の内部者の視点でもない立場から、李禹煥が自己の芸術の指針を日本以外（欧米）に向けるのは必然的なことだった。

彼のこの時期の批評が、自らの思考の確認と表現行為の弁護に徹底しているのは、外部者の視点に立っていたためである。当然の言動であったはずなのに、しばしば彼が誤解と無理解に直面しているのは、日本ではなかなか理解されがたい文脈の構造をもっていたからかもしれない。

論理的関係をはっきりさせようとするのは、一面では自分の気質の侵入を避けるためもあるが、結果的に彼は「現象学」（エトムント・フッサールに代表される）を採用している。一種の科学的論述を試みようと努力した形跡があるのは、そこに李禹煥の認識の方法と密接するものがあるからだと思う。

いまにいたって振り返ってみると、日本の社会（美術界）の閉鎖性を人一倍気にして、何かとこころを砕いていた李禹煥をわたしは想起する。

次々と起こった欧米の新しい芸術潮流とは、一線を画すのは当然のことだが、彼が繰り返し「モノ派」はポスト・モダニズムではないと説くのは、そこに忍び寄る概念規定を警戒するからである。理由は複雑だけれども、「モノ派」の表現行為の意味を後に語っているところを参照すれば、李禹煥のなかの「近代」というのは、けっして単線的歴史観ではとらえられないものだった、ということが解る。

言うならば、それは不在の「近代」としてもつ以外にない、彼の「韓国」が、たえず自身の脳髄をチクチクと刺していたからであり、ありていに言えば、根無し草となって、はたしてどこに自己のアイデンティティを求めていいのかを自問する、もう一人の自分との出会いともなっていたからである。それは日本にいて、日本の内部者と認められない自己を確認する当然の作業ともなったが、同時にそれは、李禹煥の魂の遍歴のはじまりでもあった。

*

李禹煥とは、日々、ごくごく自然に接していたので、わたしは気づかなかったのだが、考えてみれば、彼は日本語で話し、日本語で評論を書いているのである。

ジョゼフ・コンラッドやサミュエル・ベケットのような例はともかくとして、二〇〇一年にノーベル文学賞を受賞したV・S・ナイポールの自伝的作品『ある放浪者の半生』（斎藤兆史訳、岩波書店、二〇〇二年）などを読むと、李禹煥の幼少年期の（あくまでわたしの想像であるが）経験とかさね合わせることのできるような「記憶の風景」が随所にあるような印象をもつ。西インド諸島のトリニダードからロンドンに出て、オックスブリッジの出身者として〝ピジン・イングリッシュ〟で小説を書き話題となったことは知られているが、しかし、ナイポールの例は「言語」と「血」との分断はあっても、「世界言語」としての英語を使っている。[*1]

わたしは根本的に李禹煥とのちがいをそこに感じる。李禹煥がいわゆるジャパノロジストと次元を異にしていると思うのは、彼が日本語を生きているということなのだ。が、それにしても彼の指向の方位は世界に向かって開かれている。生きている言語が、「世界言語」の外にある日本語であるにもかかわらずなのである。

わたしはこの事実を無視できない（この問題については、李禹煥に薦められて読んだ『大航海』No.46〈新書館、二〇〇三年〉の対談＝水村美苗／リービ英雄「日本〈語〉文学の可能性」に教えられた）。

ソウル大学校美術大学の時代に、彼はすでに文学の道に進むことを考えていたというが、日本に来てからもそのつもりで日本語を学んでいる。じつに李禹煥らしいと思うのは、小学生の教科書を書き写すという行為によって、日本語を手（身体）から学んでいることである。写す本には日本の文学者のものだけではなく、ドイツ文学者高橋健二訳によるヘルマン・ヘッセの著作がそのなかにあったというのも、どこか微笑ましい光景を想起させる。一九六二年の夏、ヘッセの訃報を聞いて書架の『ペーター・カーメンチント〈青春彷徨〉』の頁を開いた想い出をわたしももつからだが、李禹煥の詩人的資質をそこにかさねるのは、それはそれで彼がとらえた内的世界の意味に共感を覚えるものを感じるということである。

事実、彼は高校時代や来日した数年間、韓国語で書いた詩を日本語訳したものと、その後、彼自身が「眼の遍歴を詩文風にしてみたもの」と謙遜する、日本語による詩を集めた『立ちどまって』（書肆山田、二〇〇一年）という詩集を出版している。わたしはエピグラムにそのなかの詩篇の一つを借りたのだが、李禹煥を「批評家である前に、詩人である」と称し、「万物照応」の感覚に優れたものをもつと語ったのは、彼のことをよく知る詩人高橋睦郎である。

青春の過熱した頭脳は、いつも先をいそぐものだ。デカルトやニーチェを読むまでになった哲学青年の李禹煥をわたしは想像するだけであるが、いくつもの困難と闘っていた日々であったろうと思う。糊口をしのぐ手段の一つとして、彼は絵を描いて買ってもらったこともあると言っているが、「わけのわからない絵」だったと回想している。

まあ、日の目をみるのはずいぶんと先のことだが、当初の希望だった文学の道は断念したと語っている。結果的には、美術家の道を選ばせてはいるけれども、振り返ってみると、途方もなく遠回りをした李禹煥である。

＊

いずれにせよ「モノ派」のやったことの意味について、彼はこんなふうに書いている。

「歴史の連続性にヒビを入れたことであり、内的な全体性をバラしたことである。外界と取り組んで、作品をより開かれた構造にした。この外部性による否定性こそが、歴史の活性化に関わるダイナミズムであることを示した。」（「起源またはモノ派のこと」）

そして「モノ派」の存在理由について次のように続ける。

「世界が保守化していく空気のなかで、今後、近代主義幻想と日本的なものへの、安易な回帰を戒める批判精神として働くと思う。それはまた、絶えず表現における他者性の意味を問い、開かれたアイデンティティへの道を暗示してくれるものとなろう。」

これはモダニズムが提起した普遍的価値への疑義ではない。動物生態学でいうところの

「棲みひろげ」（今西錦司の説）をモダニズムの解釈に適応させるのは論理の飛躍と言われそうだが、李禹煥が警戒するのは「棲みひろげ」つまり「同一性」ということなのである。たえず「差異性」を挟むことによって、芸術が本来もっていた複雑な関連の系（外部性）をそこに出現（ないし現象）させたいというのが、彼の姿勢である。他方で帰属のはっきりしない、不透明な遠近のなかに立たされている自分を、こんなふうに書いている。

「韓国と日本の間というより、絶えずそれ自体ではありえない非同一的な中間項――悲しき振幅、それが私の居場所でありまた私の作品領域である。」

「棲みひろげ」ではなく、「棲み分け」による分断の巧みな仕組みが、日本の「近代」を擬似的西洋化とし得たことを鑑みるとき、李禹煥の境涯がものがたるところは、そうした類別の枠に納まる性質のものではなかったことを教える。彼は「疎外性の距離」の痛みと形容しているが、ここ十数年パリと日本とを頻繁に往復していて、帰国したときなどに彼がときどき口にするのは、「向こう（西洋）の連中から、あなたの作品は東洋的ですね――云々と言われたら喜んではいけない。それは一種の蔑《さげす》みでもあるのだ」と言うのである。これを彼の「安易な回帰を戒める批判精神」なのだろう、とわたしは解したが、もちろんそれだけではない。やはり、問題にするのならば、彼らと同じ土俵で語ってほしいという、これは李禹煥の口惜しさなのだと思う。

洋の東西の、ものの感じ方や考え方のちがいを前提にして、それを強調するところの、あらゆる芸術理論にも彼は与《くみ》しようとはしない。が、しかし、その差異にはすこぶる敏感である。

「歴史の連続性にヒビを入れた――」のが「モノ派」の活動の目的の一つだった、と李禹煥は語っている。詩人リルケは「芸術は、その優れた表現において、国民的であることはできない」（『フィレンツェ日記』）と言ったが、敷衍すれば、自国の文化地盤を掘削し、断ち切り、可能なら異文化の他者との出会いをもちたいとする願望が、即ち「モノ派」のはじまりでもあったと言える。ヨゼフ・ボイスの言葉を借りれば、それは「歴史は過程としてのみ生起する」といえる現象として、「モノ派」は、以後、しばしば顧みられることになった、と言っていいのかもしれない。

わたしたちの生きている世界のどんなものにも存在する目的がある。そう考えるからボイスは「歴史は過程としてのみ生起する」と言ったのだし、「モノ派」というのは、したがって因果論ではなく、目的論において解釈されなければならないだろう、というのがわたしの解釈である。

目的というのは根拠を明らかにすることだ、と明言したのは哲学者カントのはずだが、それはともかくとして、李禹煥が芸術のボルシェヴィズムに用心深いのは、あらゆる世界観をノッペラボーに平らにしてしまう、因果論に根をもつその暴力を嫌うからである。個別性のなかに胎生する認識の道が、普遍性に繋がる世界の扉を開けるのであって、図形のように描かれた「同一性」の世界に、それをもとめることではないからである。そこに横たわっているのは、ニヒリズム以外のなにものでもない。

李禹煥が信頼できる作家として、いま、世界的に活躍しているのは、彼の芸術が人間の失われた能力の回復を契機にしているからであろう。

いささか時間的な経過を経て、「モノ派」の原点を探るのは容易でなくなっている。しかし、李禹煥の広くまた深い思索とその作品が、関係項＝媒介となって世界と切り結ぶところに立ち会ってみると、いささかの興奮を禁じ得ないものが体内を通り抜けるのを感じる。《項》の設置に立ち会って、作業中の李禹煥をみていると、彼のようすはいちち声をかけて指示する厳しい現場監督であると同時に、どことなしにわたしには一人の平凡な庭師のようにもみえた。

一切の予見的言辞を遠ざけ、ある意味でミニマルなかたちに作品化する彼の姿勢に、わたしは意志の一貫性を感じたが、李禹煥のミニマリズムは、自身も言っているように（「無限について」[*2])、作品そのものというより、いろいろと変化を内包し、作品の周囲の空間をも生彩あるものとする一種の「生命体」と考えられるものとなっている。

設置の中休みの際に、鉄道の枕木で囲った背景の造作が不自然なものとなっている、と、彼は囁くように言ったが、なるほど確かに言われる通りだ、とわたしは思った。地面にその大部分を埋めた石と、埋めていない石とを苦もなく判別する庭師のような神経をもつ人だと思った。

＊

ここでは彼の版画の仕事に触れる余裕がなかったけれども、版画とは「類似性を持った複数であることはあっても、一枚一枚、版との抜き差しならぬ対応のなかで出来る、純粋にオリジナルなものなのだ」(『李禹煥　全版画 1970—1986』シロタ画廊、一九八六年)と語っている彼のこの考え方もやはり「モノ派」の論理と関連していると思う。何のために仕事をしているのか――という問いには、まさに彼が生きている一つの証左といえる数多くの版画作品を彼はかなり長期にわたって制作しているが、それらの版画と接したわたしの印象を言うとすれば、「沈黙」という以外の言葉が思い浮かばない。

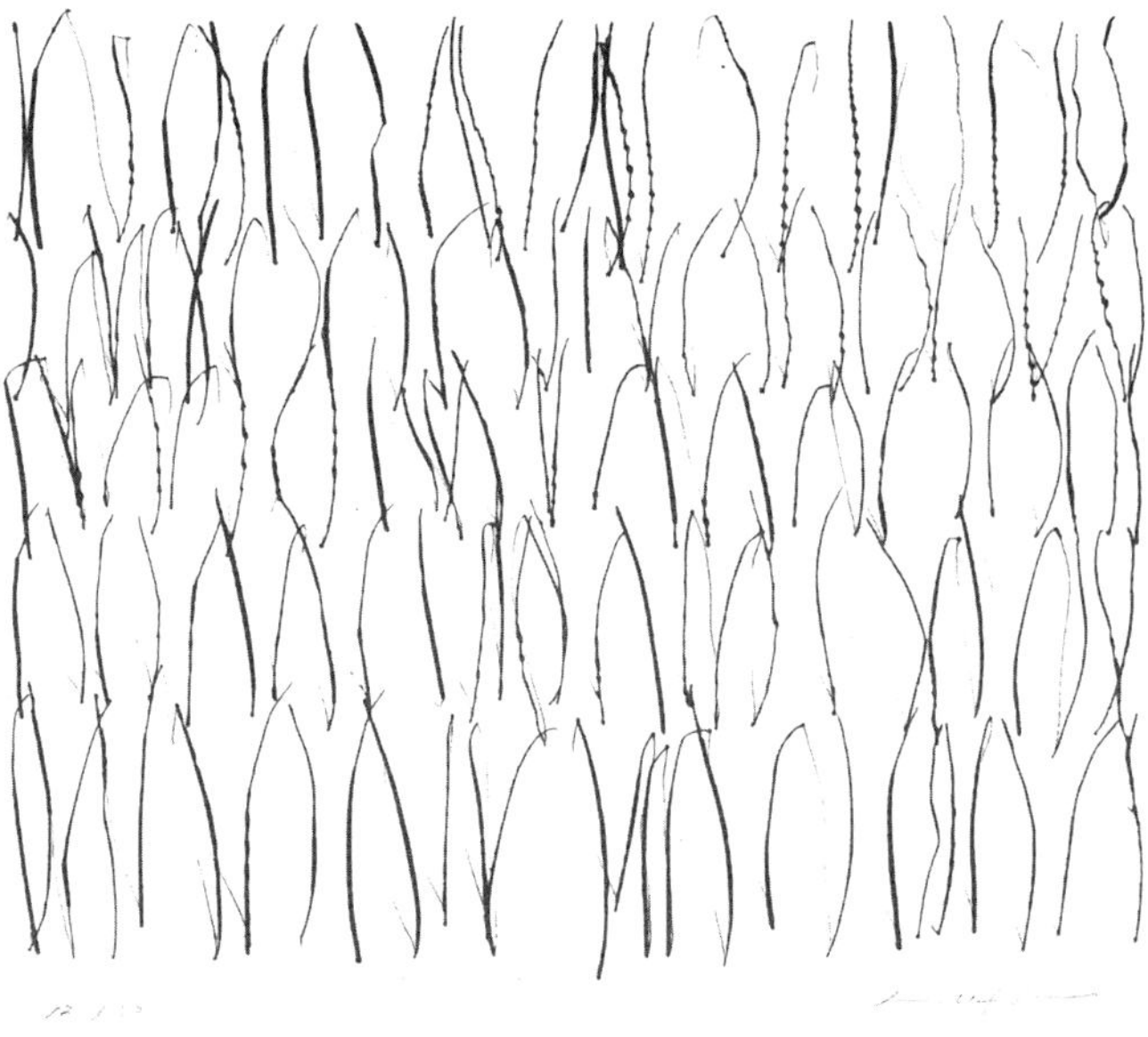

《FROM LINE 12》
ドライポイント・アルシュ紙
1998

まったく個人的な話だが、以前にドライポイントの版画の小品を手にしたときに、ふと幕末の蘭学者高野長英が獄中で認めたという「つめがき」の写真図版を思い出したことがあった。爪の痕が二百年の歳月でやや薄れていたけれども、李禹煥の「抜き差しならぬ」神経が刻んだ版画とそっくりなのにおどろいたことがあった。

絵画の「余白」を気にしながら、わたしは、李禹煥の芸術について素描することになった。やや強引な結論となるけれども、絵画の閉塞について語った彼の言葉は、まさに自身の芸術の根本思想を語り、また仕事の姿勢を示したものと読めるような気がした。彼はこんなふうに語っている。

絵画はそれ自体の完結性を目指して自立したけれど、「外部との連絡や通路」は断たれてしまった。絵画（彫刻も版画も）というのは、本来「現実のほうへも観念のほうへも飛躍出来ることを約束するものでなくてはならない」（「絵画の設定性」）のだ、と。[*3]

＊1——わたしが手にしたのは、V. S. Naipaul, *Half a Life*, Picador, London, 2001 の二〇〇二年版（ペーパーバック）である。
＊2——『余白の芸術』（みすず書房、二〇〇〇年）に収録のエッセイ。
＊3——＊2に同じ。

追記

これは「LEE UFAN–The Search for Encounter」展（Ho-Am Art Gallery & Rodin Gallery, Seoul, 2003）カタログのための草稿である。稿を書くにあたって主に参照したのは、李禹煥のインタヴュー「表現と身体性」（聞き手＝荻原佐和子、『SAP』二〇〇二年九号）と、中原佑介「李禹煥の作品と思想」（『李禹煥　全版画 1970—1998』中央公論美術出版、一九九八年）である。近年、李禹煥についてのすぐれた研究書　Silke von Berswordt - Wallrabe, *LEE UFAN - Encounters with the Other*, Steidl, 2007 がドイツで出版され、また英訳も二〇〇七年に出版されているので大いに参照するところとなった。邦訳はジルケ・フォン・ベルスヴォルト＝ヴァルラーベ『李禹煥　他者との出会い』水沢勉訳（みすず書房、二〇一六年）として刊行されていることを記しておく。

本稿の文末で、わたしは版画の領域における李禹煥については端折ることになったと記したが、じつは『季刊版画藝術』第九十九号（阿部出版、一九九八年）誌上で、かなり長い作家との「対談」を収録したいきさつがあったからである。さまざまな視点から見た李禹煥の版画の世界について語っているので、その一端をⅣ章で要約することにしたので参照されたい。

グッゲンハイム美術館、ニューヨーク
「Marking Infinity」展カタログ
2011

Ⅲ

場所との照応

人間というものは時の上にあるのだ。過去というものがあって私というものがあるのだ。過去が現存しているという事がまたその人の未来を構成しているのだ。

『西田幾多郎随筆集』（岩波文庫）

最近、李禹煥の作品とじっくり対話する機会があった。一つは二年まえ（二〇一〇年）にベネッセアートサイト直島に開設されたばかりの李禹煥美術館を訪れたときであり、いま一つはニューヨークのグッゲンハイム美術館で「李禹煥——マーキング・インフィニティ（無限の提示）」展をみたときである。順序はどちらでもかまわないが、ここではグッゲンハイム美術館での対話から話を始めよう。

昨年（二〇一一年）の六月下旬のことである。わたしは所用をかねて、ニューヨークに数日滞在した。その間、いくどか美術館に足をはこんで李禹煥の作品をみることになった。螺旋状の回廊となっている会場をなんどもなんども上り下りし、途中で立ち止まっては、自分が通り過してきた反対側の展示を遠望した。この視線の移動は、もちろん建築の構造にしたがったものだが、わたしにはちょっとした散歩の気分を味わわせてくれた感じであった。

いわゆるフラットな方形の展示スペースに慣れた者の眼には、案外、おもしろく思えるところがあったからだ。とくに《関係項》(一九七七/二〇一一年)などは、上りと下りでは、どことなく眼の方向や視線の傾斜度がちがうので、感受の印象としてもちがったものがあった。理屈からいえば同じ作品なのだから、どちらからみても同じなはずなのだが、妙なもので(身体的反応なのだろうが)、こころにつよくひびくものがあったり、そうでなかったりした。

こうした作品との出会いのなかで、最初のフラットなスペースにあった《関係項—沈黙》は、一種、心理的な〝座禅〟でもして呼吸をととのえ、それから螺旋状の回廊を巡ってほしいといいたげな展示に思えた。それはまた、わたしの記憶を刺激した。時と場所を異にして、これまでいくどかこの作品と向き合った記憶がよみがえってきたからなのかもしれないが、しかし記憶というのは妙なものである。一貫した意識の流れのなかに浮上するのではなく、まったくあてどない瞬間にフーッとすがたを現わし、そして消える。この束の間の豹変は何も記憶に限ったことではないけれども、こころの隙間にしのびよるということでは、一種の幻影に近いものなのかもしれない。スペインの詩人ガルシア・ロルカはそれを神秘的な魔物に見立てて〝ドーエンデ〟とよんだが、そんな情景がそこには生まれていた。

ことさら劇場的空間をそこに感じていたわけでもなかったのだが、ふと、気になってわたしはまた回廊を上った。鉄板にガラスを敷き、その上に石の乗っかった《関係項》（つまりここでつくられた作品）のまえで、しばらく対話していた。なぜか鎌倉の李禹煥の自宅の庭にあった《項》（一九六八／六九年、26頁）を思い出していた。時の経過が彩る物質の表情のちがいを不思議に思った。造形の基本的要素を同じくしていてもどこかちがう、この差異は、いったい何に由来するのか——と。

まったく時と場所を異にして、同じ曲を弾いたグレン・グールドの手はやはり同じ手だったのか、アルベルト・ジャコメッティは、毎日、同じ彫刻をちがった手でつくっていたか——などと勝手な思考の遊戯のあとに、そういえば、李禹煥にも「つくらない」ための手があったし、しゃべらない「沈黙」のことばがあった——などと想像して、会場の手すりに寄りかかっていたのである。

わたしは李禹煥が頻発する語彙のことを考えていた（あらためて、この稿を書くために、彼の著書にあたった。といってもことばの厳密な意味での検討を加えた語彙ではない）。石・鉄・木・ガラス・綿——という何ともそっけない素材のことば、場所・空間・時間・距離・余白・無——という（考えれば考えるほどに）神妙な意味をはらみそうなことば、そして関係性・

《関係項—沈黙》
鉄、石
1979/2005
神奈川県立近代美術館蔵

媒介項・身体性・照応・対話・出会い――というような急に空気が色めきたつようなことば、あるいは外部と内部・同一性と差異性――というように知の尺度で測ったことばなどを、そのとき、わたしは脳裏に思い浮かべていたのにちがいない。

李禹煥は二週間まえから展示の作業をつづけて、ガラスを割るパフォーマンスをした際に腰を痛めたといっていた。結局、ガラスは思い通りに割れてくれなかったようだが、これは都会のガラスだから――とユーモアをまじえて語ってくれた（精錬されたガラスの、聴きまちがいかもしれないが）。いずれにせよ製法のちがいなのか、それともガラスのミリ単位の微妙な厚さの差異が原因だったのか、わたしにはそのあたりのことは判らないけれども、作家との身体的かかわりを取っ払った作品ではない。

《関係項―不協和音》と《照応》シリーズのタブローが、たがいに向き合っている一角で、作品の表情がこうも多彩な変化をみせるのかと思い、立ったり、しゃがんだりした。鉄棒と石とのズレが、六個の矩形の刷毛痕をもつ《照応》に幽かな空気の揺れをつたえているふうにもみえた。絵と彫刻は、それぞれ自立的な作品として展示されていながら、絵のまえにある石と鉄筋を組み合わせた彫刻が、壁の絵に、ちょっとカシガッテはいませんか、と話しかけているふうでもあり、逆に絵が、そんなカッコウでは床に安定しますかナといいたげで、何ともオカシク、曲面の壁を隠すように設えた絵と、傾斜のある床の彫刻

《関係項—不協和音》
ステンレス、石
2004/2022
作家蔵

が無言の対話をしている、そんな印象であった。

――こうした他愛のない個人的な感想をここで述べるのは、李禹煥の芸術を矮小化することになるから、本来ならば控えなくてはならないのだが（そのことは措くとして）、これまで彼はこんな奇妙な空間で自作を展示したことはついぞなかったのではないだろうか。わたしは美術館の展示空間が、作家自身の創意にもとづく展示プランによって、その場がまるで魔法にかけられたかのように表情を変える瞬間を、これまでにもみたことがあるけれども、このグッゲンハイム美術館での李禹煥の展示は、そのなかでも鮮明な印象を跡づけたという点で忘れがたい。

*

おそらくこれは李禹煥の仕事のしかたに関連していることなのだろうと思う。つまり身体感覚を大切な表現の要因に据えて仕事をしていることに加えて、制作された作品との対応についても、彼は無関心ではいられないからである。「表現と身体」（『余白の芸術』みすず書房）という一文でこんなふうに語っている。

「私は頭で考えるがまた手で描き、足で歩いて何かを見つける。これは、身体を鍛え意識を磨きながら、両方を張り合わせつつ制作に挑むという意味である。このような制作の姿勢と方法は、今では田舎臭い。もっと言えば貧乏臭く面倒臭く時には鬱陶しい。とはいえ芸術表現において、自分の身体を経由する制作以外に良いやり方があるとは私には思えない。」

さらに、この「身体を経由する――」について彼はこうもいう。それは「この私にだけ帰属しているのではなく、外界にも連なっている両義的なものなのだ」と。そうだから「身体は内部と外部を媒介し、人間をより開かれたものに目覚めさせ」、「人間は外界を知り超越を体験することが出来る」し、自分が身体にこだわる理由もそこにあるのだ――と。

じつに明快である。IT時代にあえてこうした「旧式」にこだわるのは、思想の停滞を意味しているのではない。李禹煥は芸術家であるまえに、生を人間の全人格に照らして呼びかける思索の人だからである。

だからこそよけいに、今日的社会が既成事実化して行くありとあらゆる文化的表層にも疑り深くなっているのである。内実はこれまた、びっくりするほどラディカルな人で（乱暴ないいかたをすれば）、野性的な合理主義者と称してもまちがいではないだろう。

数年前、李禹煥は多摩美術大学での最終講義「出会いを求めて」（二〇〇六年十二月十六日）の話のしめくくりに、親しみの感情を込めてヨゼフ・ボイスのことを語ったことがあった。ボイスが一九七四年にニューヨークのレネ・ブロック画廊で一匹のコヨーテとともに三日間、ギャラリーのなかで過した「アクション」（「私はアメリカが好き、アメリカも私が好き」）についての話である。

わたしは意表をつかれた思いで聴いていた。しかし主旨はボイスの行なった、その行為の無謀さにあるのではなく、ボイスがコヨーテと対話（交信）している、その関係性（彼は「他者性」ということばをつかった）に関心を抱いている話し振りだった。ボイス＝シャーマンについても言及していた。人間中心主義の文明にたいする批判の視点をボイスにかさねていたからであろうが、話はユーモアをまじえたエスプリに富んだ内容であった。

わたしは意表をつかれたが、しかし、さすがに李禹煥だ――と思った。学生たちに自身の制作について淡々と語りながら、やはり、こころに吼えるもののある人の一面をちらっとみせてくれたからである。真の意味の含羞の人と言っていい。ボイスが来日した一九八四年に、李禹煥の畏敬する友人のナム・ジュン・パイク（白南準）と「パフォーマンス」をしたときのようすを書いたエッセイがあるけれども、就中《なかんずく》、李禹煥が二人のことを「現代版の寒山拾得――」に喩えていたのを思い出した。

――どんな文明も耐えられないほどの野生が欲しい、と言ったのは、「森の生活者」のＨ・Ｄ・ソローである。シエラネバダ山麓に住む現代の詩人ゲイリー・スナイダーは、その著『野性の実践』（重松宗育・原成吉訳、山と溪谷社）のなかで「それを見つけるのは難しいことではない。むしろ、野性が耐えられることのできる文明を探しだすことのほうがはるかに難しい」と書いていた。

わたしが言いたいのは、李禹煥が、こうした野生の思考を思索の根底にして、手＝身体性をやしない、とことん自然性にこだわった表現活動をくりひろげ、また生の充実を図ることの大切さを語っているのだ、ということを強調しておきたいためである。

グッゲンハイム美術館での「李禹煥展」を紹介した『ザ・ニューヨーク・タイムズ』日曜版（二〇一一年六月二十六日）の記事は、李禹煥の身体的思索の謎に触れて「石からエッセンスを搾り取る」という見出しになっていた。雨のつづく採石場で作業していて、足元の不安を気遣うスタッフに、彼はこう言っている。

「ぼくは韓国南部の田舎で育ったが、川岸にはたくさんの滑りやすい岩があったから、こうした作業には慣れているんだ。もちろん滑ったり落ちたりすることもあるけれども、それもプロセスの一部だよ。」

石を探す李禹煥の何かシャーマンにも似た振る舞いに驚嘆している記事だが、そのなかでわたしの興味をひいたのは、リチャード・セラが、かつて李禹煥に語ったという話である。——変哲もない受動的な作品だが、毎日のようにみていると、こちらに回答を迫るものを感じさせ、そこに一緒に存在しているように思えてくる。その意味で時間を超えている——と。

この話はしばらく絵画制作を中心にしていた李禹煥が、一九七八年の八月に、西ドイツ、ボッフムのmギャラリーで大規模な彫刻展を開き、現地で制作した一四点の大作《関係項》を展示して注目され、その年の六月にはボイス、リュックリーム、セラなどの七人の作家が参加したフランクフルト市立美術館でのグループ展に三枚の鉄板と石を組み合わせた《関係項》（のちにベルリンのナショナル・ギャラリーが所蔵）を出陳して、これを機会に、その後、李禹煥が世界的な活動の舞台に立つことになったときのことである。李禹煥にとっても忘れがたい体験となっていたのではないか、とわたしは想像する。

＊

少々、遠慮気味に、わたしは李禹煥を思索の人といったけれども、これは頭脳の塔に納

ハーシュホン美術館、ワシントン
「LEE UFAN:Open Dimension」展招待状
2019－2020

まるという意味ではない。むしろ一種の啓蒙者のそれに近い。そしてこの啓蒙者は少々疑り深い哲学者であり、ときには痛烈なアイロニーをこめて苦言を呈したりする。まあ、あのル＝コルビュジエがパスポートに「文化創造者」（あるいは「文化使節」）と記したという話（磯崎新『建築家捜し』岩波現代文庫）に倣えば、形容の是非はともかく、李禹煥も仕事の上で単に自己完結する人なのではなく、思索の運動の内にやしなった創造者の一面を社会的に（外部への紐帯として）拓いてゆく拠点形成と、そうした観点を変質させない思考の錬磨をつよく感じさせるものをもっている。

わたしには信念の人のようにも映る。妥当な形容ではないけれども伝道師風のところだってないわけではない。つまり李禹煥といえば、すぐに「モノ派」とくる。六〇年代末に現われたこの「モノ派」の中心的な役割をになった前衛美術家として、彼は広く知られているのであるから「モノ派」との不離一体の関係を否定するわけではないが、しかし、それ自体が旗幟鮮明な運動体ではなかった「モノ派」を、洋の東西の哲学者、思想家、文学者、詩人などの著作から縦横に援用して、自然であることの意味と、人工的なモノとの照応・対話の関係のなかに、「モノ派」の美学を整え、その芸術的価値をも確実なものとして認識させたのは、まぎれもなく李禹煥である。

さらにいえば、マニフェストも運動体としての体裁もないままに、今日、世界の現代美術の「現代」を問う際に、少なからずの慧眼の士[*1]をそこにひきつけているというのは、ひとえに、李禹煥の持続的で誠意に満ちた努力があったからこそのことである。その意味で、わたしは一種の伝道師風の一面を彼にみるのである。

李禹煥の批判の矛先は、いつも現代美術の「現代」に向かう。それはたえず世界のなかで今を生きる発言者として問題を解こうとするからである。歴史的観点を無視しているのではない。過去を手元に置いて計る意識がなければ未来は予測できないけれども、李禹煥はもっと前向きに問題そのものを展開させてみようと提案する。だから自己の体験に照らして発言するのは当然で、東アジアの共同体を確認するこころみと併せて、日本の現代美術（そして韓国の、あるいは中国の現代美術）の国際的な立場を気にすることになる。

李禹煥には多くの著作がある。そのなかの一つだが、「新しい表現の場のために」と題して、彼はこう提言している。

「そろそろ欧米と日本という構図で足下を掬われるような、美術世界を組み立てることから脱皮したらどうか。自己確立のためにも、もっと謙虚に周辺の国々や遠い地域をも視野に入れながら、未来の表現を探ってゆくべきだろう。絶えず外部との相互関係の中で自己を見据え、表現の成立の起源を問うことから始めたいものである。」（『余白の芸術』）

ほんの一端に過ぎない、こうした世界の視点を内にもつ発言者に李禹煥をしているものが、はたして何なのかをいつも考えるのだが、そしてこのことが李禹煥とのほんとうの意味での対話なのだろうが、結局、虚心に彼の作品に訊ねる以外にないということになってしまう。手立てがほかにないというより、これは逆説的な言い方だが、わたしは李禹煥の仕事のもっともすぐれた解説者は李禹煥自身だと思っているし、そして彼の提言はいつだって彼自身の自省につながっているものだろうと想像している。

論理的根拠のない言い方は避けたほうがいいのだが、あえてわたしのニューヨークでの覚書からひろった一行を記しておく。——西洋の否定の哲学は「虚無」をつきつける。東洋の肯定の哲学は「余白」に解き放つ、と。

＊

李禹煥は「作品の場所性」という短い文章で（西田幾多郎の哲学を援用しながら）、「作品は〈無の場所〉であるのが理想である」と語っている。

「作品の諸要素が出来事として関係し合うことによって、そこにバイブレーションが起こり、時空間が開かれて場所となる。つまり場所とは事件空間であり、物事がそういう現象学的な広がりによって、無限性を帯びる領域なのである。

絵画的世界としてはこれを余白と言う。もっと広く彫刻や他の分野まで含めると、形而上的な超越性を示唆するという点で、無の場所と呼びたい。この言葉はどこか透明な響きと鮮やかな飛躍感があって清々しい。」（『余白の芸術』）

こうした李禹煥の作品と場所とのかかわりを考えるときに、スーッとわたしの脳裏に思い浮かんでくるのは、ベネッセアートサイト直島の李禹煥美術館である。訪れたのは竣工式（二〇一〇年五月三十日）を翌日に控えた午後であった。

高松港から直島行きのフェリーに乗り、ぬけるように晴れた空を映している瀬戸内海の景色をながめながら小一時間ほどで宮浦港についた。ベネッセハウスに寄り、そこから地中美術館へ行くちょうど中間に、李禹煥美術館は位置していた。

――出会いの最初は「柱の広場」である。谷間を遮断するかのように灰色の横に長いコンクリートの壁が立っていて、どこにもいわゆる美術館らしい建物がみえない。景色に埋もれているのである。設計者・安藤忠雄のコンクリートの壁が、まず外の空気を満喫してからゆっくり美術館に入っていらっしゃい、と言いたげな感じである。李禹煥の作品のも

《関係項—点・線・面》
コンクリート・ポール、鉄、石
2010
李禹煥美術館、香川県直島
撮影＝山本糾

《関係項—合図》
鉄、石
2010
李禹煥美術館、香川県直島
撮影＝山本糾

っている素っ気なさと、またフォルムの緊張感や空間があたえる広がりなどの性格ともどこか照応するものを印象づけていた。

地軸となっている一八・五メートルの柱を目にして、あたりいったいが、ある秩序をもった空間として視野に入ったとき、わたしは彼ら二人の友人でもあるダニ・カラヴァン（イスラエルの環境彫刻家）が、よく口にしていた〝マコム（makom）〟というヘブライ語を思い出した。そもそもはカナン語とアラビヤ語に由来することばで「状況」や「状態」を意味するらしいが、「創造の土地（creative-land）」と訳していた海外の美術館長がいた。地勢の特質や歴史的な謂われ、あるいは人の記憶などとも関連することばなので、英語の「場（site）」よりも広い意味をもつようである。だから「サイト・スペシフィック・アート」といったときに、わたしはその〝マコム〟を想起するのである。「柱の広場」を、その「サイト・スペシフィック・アート」と称していいかどうかはともかく、李禹煥がいうところの「場所性」というのは、「モノ派」の論理とも関係するので、いってみれば、もう少しカラッとした感じであろう。

なかに入って行くと、まったく無機質なコンクリートの厚くて高い壁だけの通路がある。隔離される人になる心配はもちろんないのだけれども、重々しい妙な気分であった。そこを通って三角形の「照応の広場」に出る。《関係項―合図》にいきなり出遭うという寸法だ。鉄板の端がヒョイともちあげられて、その先に、これほど鈍感な石はないというようなデロンとした図体の石がある。

——この石はいい。どうしてなのかと問われても、わたしは応えられないが、あえていえば苦い想いを享け入れてくれそうな感じがするのである。

李禹煥は「中間者」というエッセイで自分のことを「ぼくは孤独だ。何処にも安らぐ場がない」と語っている。韓国に生まれ育って、日本に住み着き、そのあとはひっきりなしに世界を駆け巡っている。そうした人生を振り返って、「ぼくは一ヵ所にじっとしていられず、心して動いていなくてはならない。これを繰り返しているうち、物事を共同体の外に連れ出し、限りない差異性で見る癖がついた。絶えず外部性にさらされ、異他性で生きる日々は激しくも悲しい」（『余白の芸術』）と書いている。けれども、そういう彼に一時の安寧を授けてくれそうな平凡な石なのである。

ここから「出会いの間」に入る。そこは「点より」——「線より」——「風と共に」——「照応」——「対話」というかたちで展開されてきた李禹煥の一連の絵画作品を、その変容の経緯をたどってみることのできるギャラリーとなっている。中央にガラス板を敷いた《関係項》があったが、自宅の庭のものともグッゲンハイム美術館で目にしたのともちがっている。石をソーッと置いたのではないかと思えるほどに数本の亀裂しかついていない。

「沈黙の間」では《関係項―沈黙》の石があまりに堂々としているというか、不思議な恰好なので達磨大師を想像し、また「影の間」では《関係項―石の影》をみて、石匠の話を思い出した。庭石を地面へ埋めた深さのことを「ノン込む」（呑み込む）といい、置いただけの石とはちがうのだということらしい。そんなことをあれこれ考えて、最後に「瞑想の間」にくる。そこではいっさいを忘れて、心身を空っぽにするのがいい。李禹煥が「余白の芸術家」とよぶ、そのエッセンスに触れる貴重な機会となり、それは同時に李禹煥との新しい対話をひらく場に変わるからである。

李禹煥は「芸術作品における余白とは、自己と他者との出会いによって開く出来事の空間を指すのである」（「余白の芸術」）といっている。その「空間」を体感することができれば、そこが李禹煥との対話の縁起となるのである。

「柱の広場」に出て、その先のほうには海がみえる。手前に《関係項―対話》があって、二枚の鉄板が衝立のように立っている。それを挟んで二個の石が海側と山側にほぼ等間隔に置かれている。石どうしがいかにも対話しているふうにもみえるから不思議である。

わたしは家にもどってから李禹煥の詩集を捜した。『立ちどまって』（書肆山田）のなかに「山と海」という、わたしの好きな詩があったからである。

私は見た
山が海になり
海が山になるのを

その時
私は静かに
眼を閉じていた

眼を開くと
山は山になり
海は海になり

＊1――一九九七年にパリのジュ・ド・ポム国立美術館で李禹煥の個展がひらかれた折に、講演と討論の会が催され、そこで中原佑介が「極東の現代美術の状況における李禹煥の作品と思想」と題して、論点の定まった視野の広いみごとな講演を行なっている。この講演録は『李禹煥　全版画 1970―1998』展カタログに収録されている。ジュ・ド・ポム国立美術館での個展に関しては、Ⅳ章の「版画――ある対談から」を参照していただきたい。

虹の物差し

文化それ自体に野性の境界線があるといった感じ方に興味があります——
ゲイリー・スナイダー『野性の実践』(邦訳、山と溪谷社)

わたしの記憶もいささかあやしくなりかけているので、ヴェルサイユ宮殿で開催された「李禹煥展」(二〇一四年六月十七日—十一月二日)で感銘を受けた日のことを書いておこうと思う。

十月上旬、パリの日本文化会館での会議が入って、急遽、出席するということになり、会館近くのホテルに数日滞在することになった。まったく予定していなかったパリ行となったので、わたしは用を済ましたら何を措いても気になっていた「李禹煥展」に足をはこぶつもりにしていた。

なぜなら李さんからは「これだけ大規模な仕事は今後できないかもしれない。だから期間中に見に来てほしい。そのチャンスはないですかね」といわれていたのだが、わたしは残念だけれども会期中の訪問は叶わないことをおつたえしていた。

訪ねたのは十月七日、雨模様のちょっとひんやりとした寒さを感じさせる午後であった。

国際交流基金（東京）からきていた伊東正伸氏に会議の息抜きにと思って、わたしはヴェルサイユでの李禹煥展を見に行きませんかと誘った。すると二つ返事で同意を得た直後、日本文化会館で展示の仕事にあたっている若い飯田真実さんが、さしつかえなければご案内しますという。数週間前に脚のケガをして、わたしの歩行が思わしくないのを気にかけてくれたようすであった。

二人に同行をお願いして地下鉄で出かけることにした。ヴェルサイユ宮殿の最寄り駅で下車し、そこから宮殿までの石畳を歩いて行くことになった。わたしは脚の按配がよくないのでけっこうの距離に感じたけれども二人に心配をかけたくなかったので普通をとおしていたが、それよりも気になったのは空模様のほうであった。

ポツリポツリと小雨が落ちてきた。あたりを見回すと何台ものバスが駐車している。宮殿の入口前には大勢の観光客が群がっていて、とんでもない混雑である。待って宮殿のなかに入るには時間を要するので、《関係項―綿の壁》という作品が一点だけ宮殿のなかに展示されていたのだが、それを見るのはあとまわしにした。とにかくお天気があやしいので野外の作品を見ようということになった。宮殿の右脇から通り抜けて庭園に出る道があり、チケット売り場で十五ユーロ（三人分）の入場券を買ってそこから園内に入った。

諦めていたことが実現したという嬉しさと、広い庭園に出たときの解放感に浸った。わたしは独りこころのなかで呟いた。

「やはり野外彫刻はいいなあ――」と。

人間についてのさまざまな問いに対する応え（尺度）を自然のほうから招来させるという健康な未来がそこにある。批判や拒否を避けがたいものとしている「近代の病」から絵画は芸術の母家をあとにするわけにいかないようであるが、彫刻のほうは野外に出て自然のなかにあるということによって解き放たれたものとなった。

フーッと深呼吸した。それから見てまわることにした。

遠くに《関係項―ヴェルサイユのアーチ》だけが見えた。さあ、このアーチをくぐり抜けて庭の散策である――そんな按配でもあった。チケットといっしょに渡された作品のレイアウト・プラン（配置図）にしたがって①から⑩までの作品を見て回るのがいいのではないか――という飯田さんの提案である。

たしかに李さんのことだからきっと作品相互の関係だけではなく、庭園全体の空間的・

*

「李禹煥　ヴェルサイユ」展カタログ表紙
2014
ヴェルサイユ宮殿、フランス

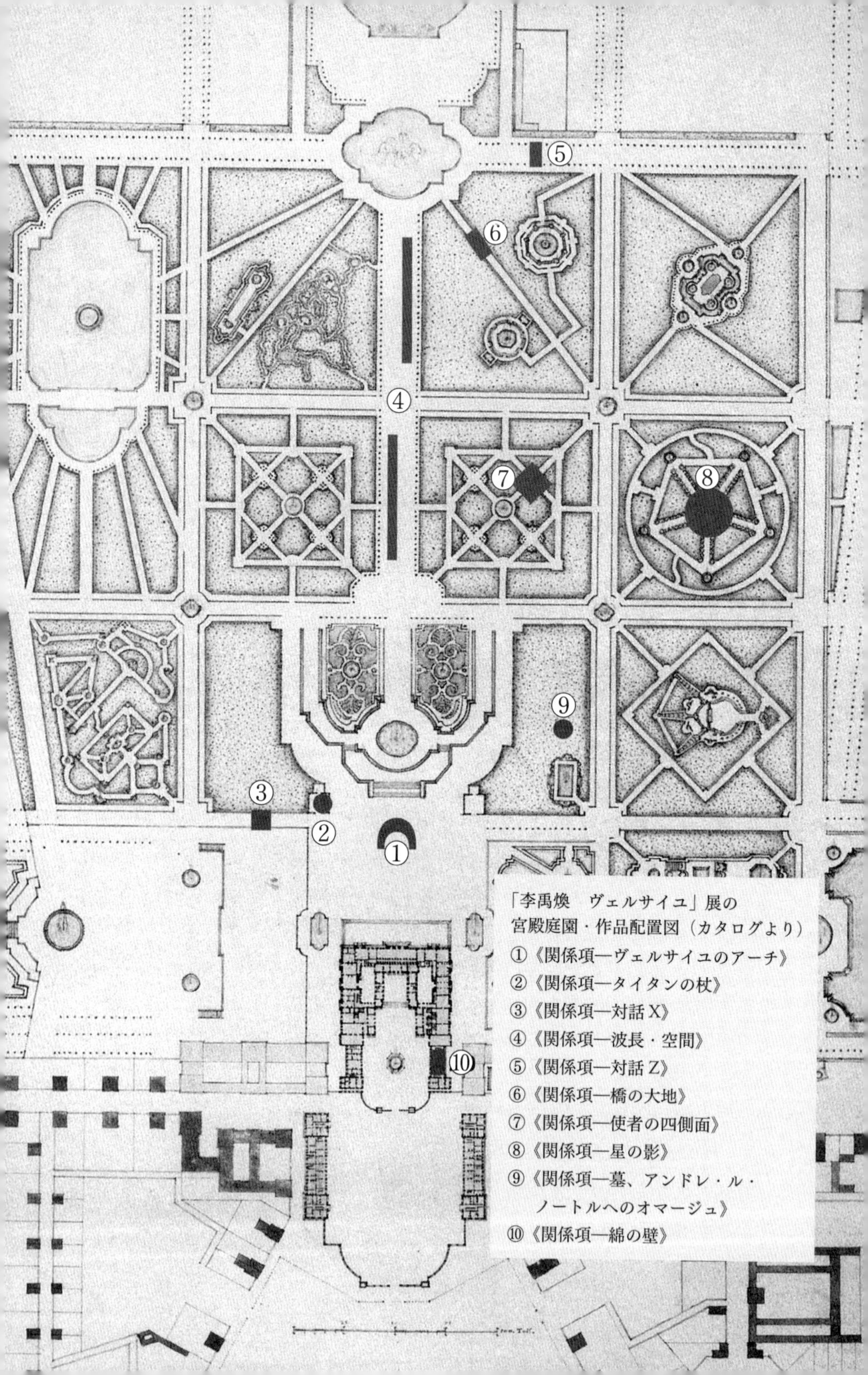

「李禹煥　ヴェルサイユ」展の
宮殿庭園・作品配置図（カタログより）

①《関係項―ヴェルサイユのアーチ》
②《関係項―タイタンの杖》
③《関係項―対話 X》
④《関係項―波長・空間》
⑤《関係項―対話 Z》
⑥《関係項―橋の大地》
⑦《関係項―使者の四側面》
⑧《関係項―星の影》
⑨《関係項―墓、アンドレ・ル・ノートルへのオマージュ》
⑩《関係項―綿の壁》

②《関係項—タイタンの杖》（鉄、石　2014　作家蔵）
の前に立つ著者
ヴェルサイユ宮殿庭園
右手の遠方に見えるのが①《関係項—ヴェルサイユのアーチ》
鉄、石　2014　作家蔵

④《関係項―波長・空間》（波・カーペット）
ステンレス・スチール　2014　作家蔵
ヴェルサイユ宮殿庭園

④《関係項—波長・空間》（風・羽根）
ステンレス・スチール　2014　作家蔵
ヴェルサイユ宮殿庭園

⑦《関係項―使者の四側面》
鉄、石　2014　作家蔵
ヴェルサイユ宮殿庭園

⑧《関係項―星の影》
鉄、石、大理石・砂利　2014　作家蔵
ヴェルサイユ宮殿庭園

⑨《関係項―墓、アンドレ・ル・ノートルへのオマージュ》
松脂・土の混合物で覆った穴、鉄、石　2014　作家蔵
ヴェルサイユ宮殿庭園

地勢的条件などを総合的に熟慮した結果を踏まえた上での配置になっているはずである。あとまわしにした⑩の《関係項―綿の壁》を除いて、もっとも巨大なスケールの①の《関係項―ヴェルサイユのアーチ》から⑨の《関係項―墓、アンドレ・ル・ノートルへのオマージュ》までの作品を順次たどることにした。

《関係項―ヴェルサイユのアーチ》はまさにこのプロジェクトのハイライトである。象徴的な作品といってもいい。李さんは日本の田舎で虹を見た三十数年前の感動の一瞬を思い出したのが「アーチ」をイメージしたきっかけであると話している。でも別にその記憶に準じて発想したわけではないだろう。「アーチ」型のフォルムというのは「円」のそれと同じでもっとも簡潔な表現となる。それ自体の意味は数理の究極にたどりつき、とどのつまりは一切を沈黙にいたらしめるという味も素っ気もないところに出てしまうことだってあり得る。そうなると単なる建造物ととられかねない。理屈としては、それはそれでいい。しかし芸術の面白さというのは、そうではない。むしろ理屈の外にあるものだ。人間には解らない、その解らないことによって生じる空隙を愉しむところにあるのではないか――もちろん、わたしはそんなことを考えながら通り抜けたわけではないが、ミニマリストの李さんの破格の試みを驚きの目で見て、とにかく凄い「物差し」を用意したものだと唖然とさせられたといっておきたい。

こうした造形の限界をいかに打破するか、という一種の戦略として李さんが選んだ対象が「自然」であり、そして素材として選んだのが「石」ということになるのかもしれない——そんな考えがふと頭をよぎっていた。

いずれにせよ、これまでの李さんの仕事からは想像できなかった高さが十二メートルもある作品である。鈍く輝く三十メートルのステンレス・スチールをアーチ型に曲げて、その両脇には巨大な石を据えている。基礎工事を怠る李さんではないから反り返る力とカーブを描くスチールの力の均衡はたもたれている。ところが地面に敷かれたステンレス・スチールの長さが、アーチと同じ三十メートルなのだということは、見たあとで（後日）李さんにいわれて知ったことだが、その上を歩いて訪問者がそれぞれにアーチをくぐって宮殿と庭園とを行き来する仕組みなのである。

アーチをくぐった左側に②の《関係項―タイタンの杖》と③の《関係項―対話X》が細かい砂利を敷いた南側の平地に設置されている。②はギリシア神話の巨人が杖をついて、ちょっと休憩している——というような印象をあたえたが、人工的な鉄棒と自然石との何とも素朴な組み合わせにユーモラスな雰囲気があったので、わたしは鉄棒に触ってみたりしていたが、8の字を描くように見てまわった③のところで傘を広げたのを憶えている。二個の石と二枚の鉄板（寝かせたものと立てたもの）をつかった素っ気なさの典型のような作品であるが、こうした造作のない作品に接すると、李さんの、わざとらしさやつくりものを好まない神経に遭遇するようで心地いい。途端に雨が止んで陽が少し射し込んできたから不思議である。

庭園の中心線に沿って④の《関係項—波長・空間》が下の方に降りて行くかっこうに設置されていた。池の方に向かって三百メートルほど波（カーペット）と風（羽根）を暗示するフォルムの媒体（ステンレス・スチール）が連なっていた。風が吹いて芝生が波立ち人工庭園にも自然が囁きかける一瞬があることを李さんは大いに歓迎しているようであった。⑤の《関係項—対話Z》は、木漏れ日を作品にかさねて見る空模様ではなかったけれども、いくぶん情感をくすぐられてオメデタがって散策していたわたしの鑑賞を阻むように鋼鉄の板が樹間を遮っていた。ところが壁をはさんだ表と裏の二個の石が、相互に乗り越え難い壁を介して対話している——そう思えたときに、ここには李さんの詩と真実が隠されていて（飛躍したいいかたになるが）、あらゆる差別や偏見に厳然とした態度で挑んできた李さんの良心（誠実さ）をみるような気がした。

⑥の《関係項—橋の大地》また⑦の《関係項—使者の四側面》は、つねに出会いにおける自他の対話を大切なかかわりとして生きてきた李さんが、どことなく孤独な姿で遠くを見つめて歩いている、その眼差しの厳しさと優しさが交錯しているようすを印象づけられ

た。

⑧の《関係項―星の影》に出て何となく開放された気分になったのは、そこが広い芝生の空き地になっていたからである。円形状に点々と鉄板を差し込み、その内側に白い砂利を敷いて、北斗七星に見立てた七つの石を配している。ところが七つの影を描いて陽光が落とす影との虚実の競演を営んでいるのである。視覚の遊戯と解してもいいし、大地を介した彫刻と絵画との対話といってもいい。

最後は⑨の《関係項―墓、アンドレ・ル・ノートルへのオマージュ》にやってきて、わたしはあらためて李さんの思索の運動が、この公園の成り立ちにまで関与していることに感心した。広い空き地の《関係項―星の影》を見てきたあとでもあったのでアレッと想ったのだが、ル・ノートルという造園家は単に幾何学的フランス式庭園に満足しないで、どこか「自然」にまかせる有機的な一面を隠しているのではないかと想像した。地面を方形に掘って、そこに鉄板を敷き、さらに石を乗せるという単純明快な作品ではあるけれども、溜まった雨水は吐き出さなくてはならない。つまり「自然」の変化をまともに受ける作品である。やはり「ランド・アート」や「アース・ワーク」というのは面白いけれども管理はたいへんだろうなあ――などと余計な気をまわして、そこをあとにした。

やっと⑨を見て、⑩をと想ったのだが、宮殿に入るのにさらに時間を要するので止すことにした。妙な安堵感がわたしのなかに湧いてきたのを憶えている。

すっかり天気は回復していた。帰りにも遠く《関係項―ヴェルサイユのアーチ》をつくづくと眺めることになった。ことばには尽くしがたい感動の体験といっていいが、いまあらためて振り返ってみても、やはり李さんの想像力の不思議な発露と作家魂にふれた体験は強烈なものであったというほかない。わたしはただ茫然自失の状態であったので（その意味からすれば）黙って見て帰ってきたというほかない。おそらく名づけようのない時空間に誘われたという一種のトランス状態（体験）だったのではないかと思うが、しかし感受した何かが、いまだわたしの記憶を刺激しているのだとすれば、それははたして何だったのだろうか――。

＊

李さんからこのプロジェクトの要請を受けたという話を聞いたのは二〇一二年の秋頃だったと思う。

毎年一人の作家を招聘して個展を開催するのだが、前回のイタリア人彫刻家ジュゼッペ・ペノーネの個展につづいて同展を担当することになっていたアルフレッド・パックマン氏からの要請なのだといっていた。しかし開催日が早くに決まらないことを李さんは気にしているようすであった。だから想を練っていたとはいえ、そのときはまだスケッチの段階だったのではないかと思う。とにかくヴェルサイユ宮殿といえば世界的に知られたフランス式庭園である。しかもべらぼうに広い。そこに自作を設置するわけだから一朝一夕に事ははこばない。

年が明けてようやく設置が済み、無事にオープニングを終えて日本にもどった七月のある日のことであった。

いつも李さんの「お土産話」を愉しんで聴く鎌倉駅前の喫茶店で、李さんはコーヒーをゆっくり飲みながらこういったのである。「ヴェルサイユというのは限りなく手入れされた人工庭園なので、かえって自分には対応し易かったのかもしれない」と。わたしは「モノ派」の自然哲学でやったなと直感した。

オープニングに出かけて記事を書いた建畠晢氏は「ノマド（遊牧民）」的なところがある、と李禹煥の人と芸術を形容していたが（「朝日新聞」二〇一四年七月二十三日）、そういう一面と併せて李さんには孤独な偏在者の印象があるといってもいい。

ヴェルサイユの庭に立って、そこで感じた時々刻々の自然現象を、どのように物証として造化していくかという過程で、おそらく李さんの心象をよぎったのが、あの虹の記憶だったのではないかという気がする。けっしてつかまえることのできない虹を物差しにして、李さんは自分と庭の景色とを相互に溶かし合い、空に虹の橋を架けた。その橋を渡る者に新たな出会いが待っているからである——そんな思いにも駆られた。

まあ、勝手な想像に過ぎないけれども、李さんから頂戴した展覧会カタログの図版を見て、わたしは（制作に十分な時間的余裕があったとは想像できなかったので）、よくぞここまで成し遂げたものだと、李さんの作家魂にあらためて感服した。

それからしばらくして、まったく予期せぬ機会にわたしは現場へ足をはこぶことになったのである。

李さんは「芸術作品における余白とは、自己と他者との出会いによって開く出来事の空間を指す」（『余白の芸術』みすず書房、二〇〇〇年）と書いていたが、ヴェルサイユの空を無限の「余白」に見立てた《関係項—ヴェルサイユのアーチ》は、きっとこれからも李さんの想像力と夢の物差しとなりつづけるのではないかと思った。

追記

この虹の話を李禹煥氏から聞いたのは、ずいぶん前のことである。が、二〇二二年に国立新美術館で開催された「李禹煥展」の際に行なわれた作家との「対談」（八月二十七日）で、李氏は、今からだと四十数年前になるかと思いますが——といって、こんな話をされたのである。

——松本（長野県）に家具のほうで日本の民芸運動に多大な貢献をした池田三四郎という人がいて、その方を訪ねたときのことで、非常に寒い時期であった。池田さんと蕎麦屋でお昼を食べている間に、ちょっと雨が降ってきたが、他に客人もあったので別れの挨拶をして李氏は外に出た。

しばらく田舎道を何となく歩いていると、ちょうど雨も上がって、目の前に道を挟んで小さな虹がかかったのだという。その綺麗さに驚いた李氏は、いつかこの光景を再現してみたいと思ったが、そのうちに虹は消え去り、それっきりで一度も想い出したことがなかったという。

ところが、ヴェルサイユの丘であれこれ想を練っているときに、ふと松本で見た虹がパッと思い浮かんで、ここにステンレスの虹をかければいい、と李氏が心に決めた瞬間、わくわくして、このプロジェクトのいろんな難しい話は吹き飛び、虹をつくることに一所懸命になって、三か月ぐらいかけて虹をかけたのだ——というのである。

Ⅳ

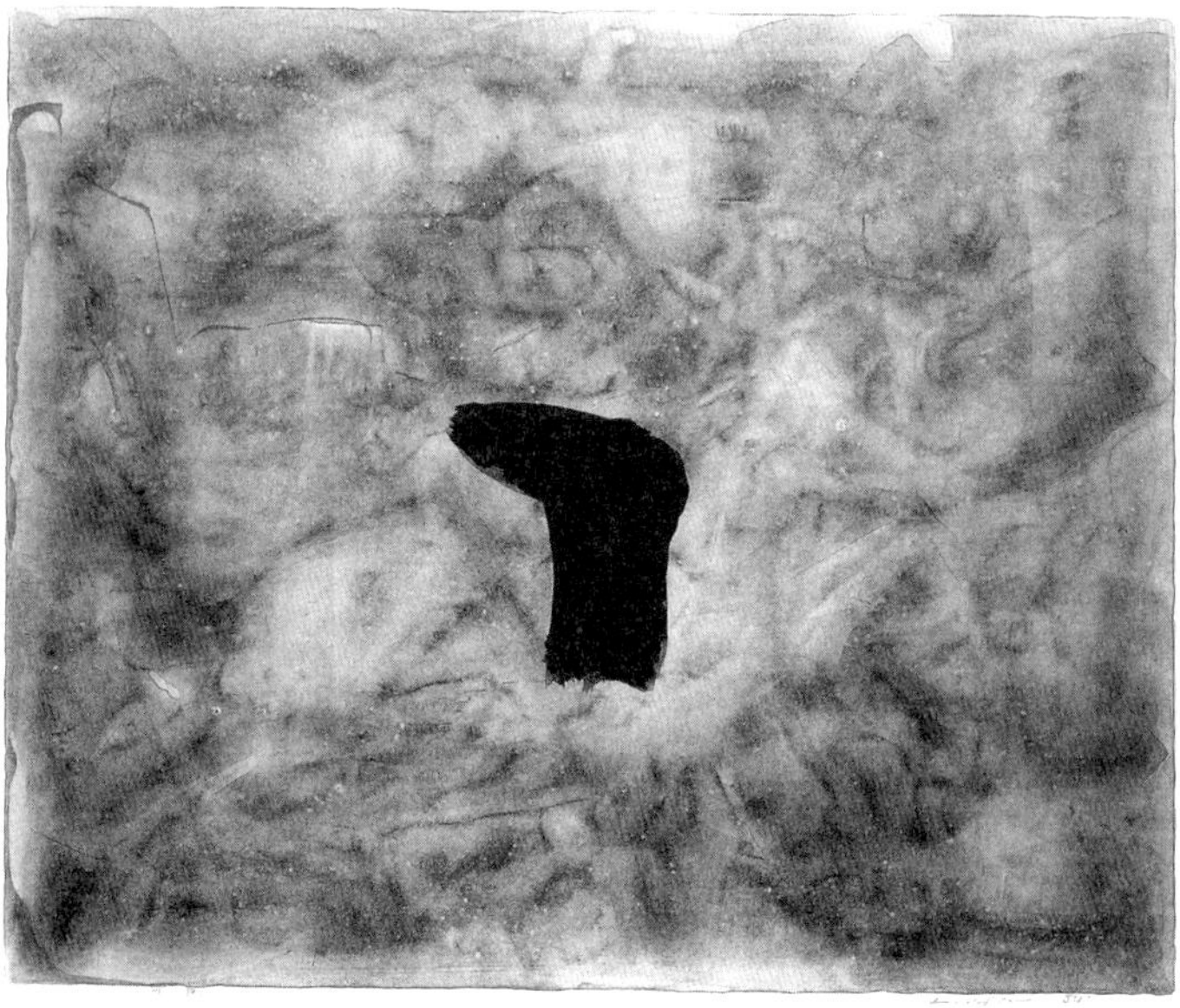

《遺跡地にて　4》
リトグラフ・アルシュ紙
1984

版画——ある対談から

李禹煥さんの版画というと、ずいぶん前のことになりますが、わたしは氏との対談でたいへんに興味深く、またそんなこともあるのか、と不思議に思って聞いた話を思い出します。ちょっと長いですが、はじめにその話を引用しておきましょう。

＊

「今までの版画を振り返ってみると、必ずしも全部ではないけれど、おおよそはタブローよりもドローイングよりも先に版画をやっているんです。先に版画を作り、その後タブロー、一番最後にドローイングをやる。それは普通の人と全く逆の順序なので、なぜだろうと考えるんですね。よくは説明がつきませんが、つまり自分の思うことを正直に出すということではなく、いったんは何か篩《ふるい》にかけるというか、何か第三者の手を経て見ることに興味がある。

ですから版画を刷る場合、自分が最初から最後まで全部行なうという版画家もいますが、僕はそういうことはできないのです。刷師がいるとか、版を作る人がいる、あるいはプレス機を通す、とか自分以外の要素、工程を経て、どうやってそれが成り立つのか、果たして作品になっているのかということを僕の目で確かめたい。その過程で、自分以外の要素を通ったときに、客観的に見られるものができて、普遍的なものが得られたなと思ったら、その次にタブローを作る。それから後、それを崩して、楽しんでいくようなドローイングを描く。そういう順序になりますね。

だから、その点では絶えず何か自分以外の要素との関係の中で仕事を確認しながら、何かを求めたいということがあるのかな、という気がするんですね。それは僕の作品の内容、世界というようなものともきっとどこかで関係することなんだろうという気がします。」

＊

これは『季刊版画藝術』第九十九号（阿部出版、一九九八年）に掲載された対談（「開かれた空間との照応」）のなかで、李さんが自分にとっての版画の一端を語った話です。

李さんがパリのジュ・ド・ポム国立美術館での個展（一九九七年十一月十三日―一九九八年一月四日）を終えて、帰国早々に、鎌倉・浄明寺の食事処「青砥」で話し合った対談ですが、これはある意味で根《こん》を詰めて李さんと話し合った最初の機会といっていいでしょう。

いつも李さんがパリから鎌倉にもどると、駅前の喫茶店でよく長話をしてきました。それは第三者に聞かせるような話というより、身近に起こったことや世間話などに限られていました。それが今度は、歴とした美術雑誌でのことなので、わたしはいささか緊張して臨んだのをおぼえています。

その証拠に（わたしの事前の俄か仕込みで）、これまで『季刊版画藝術』に李さんが版画について書いたりインタヴューを受けたりした記事があったら送ってほしいと頼んであったのでしょう、いくつか送られてきた記事（コピー）が、この稿を書くために用意していた段階で出てきたのです。対談の掲載誌と一緒になって、わたしの書架に収まっていました。

あらためて目を通してみたのですが、やはり李さんの版画への考え方や姿勢、そして版画への熱意には一貫したものがあるのをつくづくと感じました。以下に、その極一部ですが紹介しておきたいと思います。いずれも『季刊版画藝術』誌上に掲載された記事です。

＊

一、表題「肉体性なくして何の創造か」（第十八号、一九七七年）では、編集部からの注文は韓国の現代版画の諸問題についてふれることでした。ところが、李さんは「韓国の現代美術が背負っている諸問題も日本のそれも、どう考えてもわたしにはそう違うものには映らない」として、日ごろ考えている版画について書いています。当時、日本でも屋外彫刻などで盛んに「発注主義」の是非が問われていましたが、版画の領域においても似たような問題があって、李さんは「表現の複製性」についての所感を述べ、「薄っぺらな複製主義」に異を唱えています。

二、表題「版と呼応する」（第六十五号、一九八九年）では、前年に開催された「李禹煥 エクス・オリエンテ」展（現代美術館、ミラノ）を機に、滞在中、版画工房に通ってかなりの数のリトグラフを制作し、また未知のカーボランダムの技法にも挑戦していますす。すでに述べた対談のなかでも語っていますが、このときの体験は、李さんにとっても印象に深かったようで、こんな話をしています。

「特に刷についてですが、日本では一般的に、上澄みの表面的な所を全体的にきれいに刷り上げるという特徴がありますが、向こうの刷師はまず、作家が何をしたいのかということを知ろうとする。仕事は一見、大雑把なようですが、判断力は鋭い。表面的なものより、版に眠っている『アート』の部分をすくい上げるという熟練したテクニックを持っています。彼らは細かいディテールにはあまりこだわらず、あくまで全体のハーモニーを大切にします。」

三、表題「中間項としての版画」（第七十五号、一九九二年）では、前年、連作石版画の《出港地》と《寄港地》が、シロタ画廊から刊行されたのを機に、それまでの李さんの版画制作のさまざまな体験や記憶について語っています。「作品は身体性を持つ」とか「版画の他者性は面白い」といった点について、李さんは噛んで含めるように説明しています。ところが、こう切り返して、ご当人はいかにもほくそ笑んでいるようなのではないでしょうか。

「僕の方法は意外と分りやすいはずです。ただ入口は用意されているが、入ったら難しいかもしれません。展開の仕方が、知識で組み立てられたものではないので分りにくくなっている。そのことは僕の芸術論とも深い関係にあります。僕は自分の分っているものの上に立つのか、分らないことによって立とうとするのか、これからはますます分らないことの上に立とうとしています。」

＊

李さんが版画に関して書いたり語ったりした記事はほかにもあるのでしょうが、わたしは李さんが自己の版画体験を踏まえて書いた「版画について」という優れた論考をここでは挙げておきたい。

勿論、わたしはこの論考を読んだ上で対談に臨みましたが、どこまでその効果が反映されているかについては不明です。

いずれにせよ、この「版画について」は『李禹煥　全版画 1970―1986』（シロタ画廊、一九八六年）に寄せたテキストですが、後に『余白の芸術』（みすず書房、二〇〇〇年）に収録されていることを付記しておきます。

＊

パリ、ジュ・ド・ポム国立美術館での「李禹煥展」案内状
1997–98

あらためて『季刊版画藝術』誌上の対談を振り返ってみて思うのは、対談の冒頭に「アジアとヨーロッパの対話」と見出しが付されていることでも想像がつくように、東西の美術や文化の領域における差異にいたる理由を、さまざまな視点から話し合っています。話の散らかるわたしが相手なので、思慮深い李さんに軌道修正してもらって何とか対談を終えた恰好ですが、じつに愉しい一刻でした。

いかんせん四半世紀も前のことなので、いまではうろ覚えですが、それでもジュ・ド・ポム国立美術館に赴いた日のことは鮮明に記憶にとどめています。

天気に恵まれた昼過ぎのことです。ガラス張りのロビーのベンチで洒落た帽子をかぶった李さんが腰を下ろしていましたが、わたしが入館すると眩しそうに立ってきてお礼を言われたのを思い出します。李さんの案内で一通り見たあと外に出ると、大判の展覧会ポスターが掲げられていたのが印象的でした。画布を床に置いて、作家が腰をかがめて刷毛を持ち、こころを鎮めて制作中のところを撮った写真のポスターです。

ああ、ここから李禹煥という作家は羽ばたいて、愈々《いよいよ》、国際的に注目される作家の仲間入りを果たすことになるのだろうなと想像し、わたしは妙に嬉しくなりました。

新作版画のこと

李禹煥さんが、久しぶりに新作版画の個展をすることになった。その作品を見て、何か書いてほしい――といわれて、シロタ画廊を訪ねたのは、数週間前のことである。

越前雲肌麻紙に木版で摺ったものだという。紙サイズが一六二×一三〇センチもあって、机の上に平たくして見たので、額に入れて展示されたときに見るのとはちがうような気がした。眼を紙に擦りつけるようにして見ていたせいか、妙に生々しいものを感じた。

絵の具が紙の上に溶け出そうとしているのか、あるいは紙のなかに浸透していって凝固しようとしているのか――ここには版画のもつ錬金術的な工程があるのだが、わたしのように見ているだけの者には、正直、事の芯のところが判らない。けれども、この作品は、これまでの李さんのものと、ちょっと感じが違う、というくらいのことは知ることができた。

それが生々しさの感覚を誘った理由であろう。いま塗ったばかりの絵の具の層に、鋭い

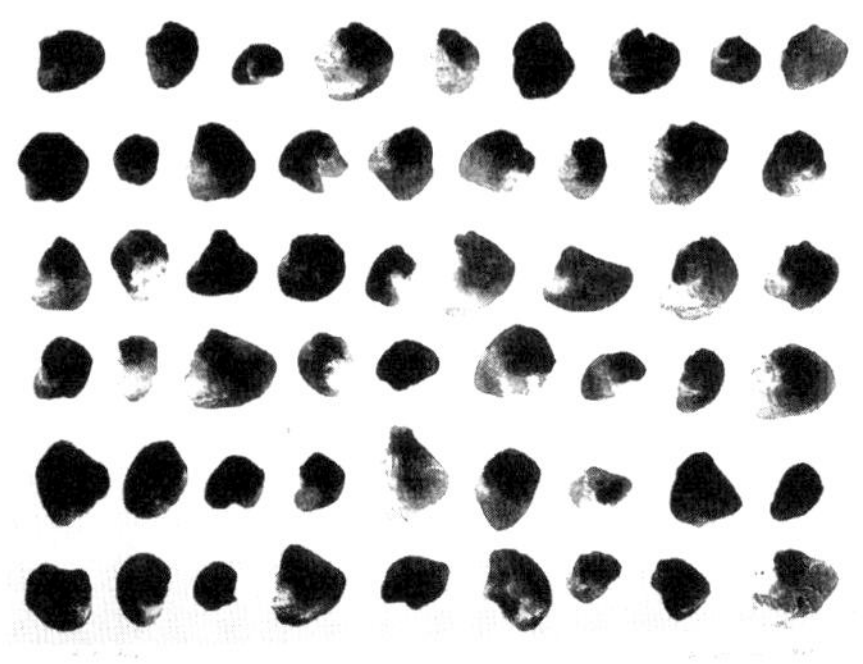

上：《点より　4》
リトグラフ・アルシュ紙
1998

下：《 Dialogue 2019 1 》
木版・楮紙
2019

刃物を立て、一気に横に切り裂いたような感じである。恣意にながれる感情の一切を堰き止める、まさに意志と精神による高次の業が、ここに結集されている。

いつだって（どんな場合でも）半端に妥協をしない李さんであるから、きっと木版画の究極の技術を要求したはずであろう。そうした李さんの探究心と摺り師との共同作業によって、この作品は見事なまでに新しい次元の版画となって出現したといっていいだろう。

こんどの個展は、『李禹煥　全版画 1970―2019』の出版を記念してのことであるという。さぞかし刺激的な会場となるのは請け合うけれども、振り返ってみると、李さんとは長いつきあいになった。

ときどき想い返したように、李さんは版画制作に集中をするのを見てきたが、あるときわたしの質問に、版画というのは、自分にとって絵画と彫刻の途中にある大事な拠点――と語ったことがある。

そのこととも関連すると思うのだが、李さんはまた、わたしとの対談（『季刊版画藝術』第九十九号、一九九八年）で、こんな話をしている。

版画制作の体験を通して知ったのは、自分以外の要素（媒体としての版画）を通ったときに、何か客観的に見られるもの、つまり普遍的なものにも繋がる仕事だと理解したし、ときにはタブローやドローイングよりも先に版画をやっていたこともある、と。

こういうのを「自在」というのではないか、と思うのだが、どうだろう。

追記

先年亡くなられた画廊主の白田貞夫氏は、李さんと七〇年代からの長い付き合いで、個展開催はもとより版画作品のエージェントでもある。氏が小説家志望の文学青年であったということを聞いたのは、李さんからであったと記憶している。

版という場所で

久しく熱望していた展覧会が、こうしたかたちで実現するに至ったことを率直に喜びたい。

日本の現代美術を語る上で、とにかく欠かすことのできない、高松次郎・若林奮・李禹煥という三人の作家の仕事が、一堂に会するというのは、極めて珍しいことではないかと思います。展覧会のタイトルに「驚異の三人‼」と冠したのは、他でもなく、戦後日本の美術界が生んだ、忘れては困る大切な存在であり、もっともっと着目して然るべき作家ではないのか――ということを、あらためて強調する意味を込めた形容と解していただきたい。

いわゆる世界的な現代美術の動向に照らして、私たちはこれまで多くの優れた作家たちが、日本の美術界あるいは国際的な美術の舞台で活躍してきた様子を目撃してきました。いちいち名前を挙げませんが、その斬新な発想と冒険的な試みに充ちた作家たちの仕事は、世界の現代美術史の一角に個性的な痕跡を留めています。

この三人もまた、そうした作家たちと同様に、久しく関心を持たれてきたと言っても、決して不当な人選ではないし差し支えないと思っています。

ある意味でこの三人は、前衛的な思索の運動に裏打ちされた仕事をした、その結果、毀誉褒貶というといささか強く響きますが、時代のアート・シーンの変貌によって、一定の評価をあたえられたり、時には批判の矢さえも受ける事態もなかったわけではありません。しかし、あらかじめ用意された世俗的な美術界の評価を当てにした仕事でなかったことは確かです。

高松次郎氏（一九三六―一九九八）は、ある種の天才的な閃きを見せた作家です。どことなしにアリストクラティックな雰囲気を持ち、颯爽とした印象を残しています。

いつの場合にも予言的な表現の開示となっていて、それ故に革新的な仕事になっていました。「ハイレッド・センター」を通してのハプニングから〈影〉のシリーズへの転換を、高松氏自身は「白紙還元」と称していますが、それは一種の「不在証明」でした。あるいは遠近法を逆手に取ったトリッキーな立体などを試みていますが、とにかく通常の視覚体験を根底から覆し、また概念と知覚のズレを問い直す行為のなかで、いつも未知の刺激を求め続けていた作家であったと言えるでしょう。

若林奮氏（一九三六―二〇〇三）は、時代の動向を鋭く感知し、その上で自ら先導的に行動するというタイプではなく、むしろ後方に控えて、独り我が道を行くといった作家だったのではないでしょうか。アルタミラなどの洞窟壁画に魅了され、また地質学的な調査・研究に費やした探索ノートや厖大な量のドローイングなどを残しています。

限りなく不愛想な鉄との対話のなかで、持続的に彫刻を制作し、不可能な「庭の思想」に基づいて、公害汚染の現代社会の行く末を按じ、すべては自然に還るべきだと言った老荘的な態度で、途方もない仕事を残して斃れた稀有な作家です。

李禹煥氏（一九三六―　）は、今も東奔西走し、欧米の主要な美術館で、次々と大きな個展を開催して注目されている作家です。

六〇年代末に起こった「モノ派」の理論と実践の主導的な役割を担い、その持続的な展開と並行して、自らの芸術的思想を深化させて今日に至っています。内的自己と外的現実とが、相互に浸透し合える照応の世界を目指し、プラトン以来の西洋美術の歴史的全体が啓発する諸問題と、氏は静かに向き合ってきたとも言えます。言葉の深い意味で、作品を「無の場所」と呼び、当人は、それを「余白の芸術」であると要約しています。

――というように、三者が三様の内に示した芸術的な展開と仕事を紹介するにあたって、それでは、どのような形式と内容を持つ展覧会が可能なのかを思案することとなったのです。

＊

数年前のことになりますが、私は親愛の情を抱いてきたというだけでなく、世田谷区にかつて住んでいたという「地縁」を有する人でもある——ということから、勇を鼓して、李禹煥氏に個展の相談を持ちかけたことがありました。その時に、こう言われたのです。同じ年齢でもあるし、ずっと畏敬してきた二人、高松次郎と若林奮との三人展ならば、自分はこの上なく嬉しい——と。

この三人展のことが、実は私の脳裏にあって、学芸諸氏との企画会議で提案することになったのです。

ところが、本来なら三者の代表的な作品を集めた展示の工夫をすべきところなのでしょうが、実際に構想を固める段階で、私どもの美術館の諸条件を鑑みて、そうした試みを諦めることにしたのです。その替りにと言えば妙な言い方ですが、性格を異にした三人の版画作品を紹介するのは、どうかと考え、そして意外に面白い展覧会になるはずだ——と判断したのです。

すでに李禹煥氏の場合には、『李禹煥　全版画 1970―1986』（シロタ画廊、一九八六年）、『李禹煥　全版画 1970―1998』（中央公論美術出版、一九九八年）と、刊行を間近にした『李禹煥　全版画 1970―2019』（阿部出版、二〇一九年）という版画作品のカタログレゾネがあって、自身の活動の初期から版画は重要な実験と検証の場となっていました。

さらに若林奮氏の場合には、すでに当館で「若林奮版画展――デッサンと彫刻のあいだ」（二〇〇五年）を開催したことがあり、なかでも「焼きなまし」の銅板による版画は、錬金術師的な一面を見せて、いかにもこの作家らしい仕事になっています。版画は七〇〇点を超えるが、生前、氏は私に少なくとも一〇〇〇点ぐらいの版画をつくりたい――と語っていたのを憶えています。

高松次郎氏の場合には、版画集『國生み（古事記、日本書紀より）』（東京画廊・シムカプリントアーチスツ、一九八四年）の刊行に併せて、特集が組まれた『季刊版画藝術』第四十七号（阿部出版、一九八四年）の記事を再読する機会がありました。中原佑介氏の「高松次郎の新作版画」と岡田隆彦氏の「高松次郎訪問記　色彩と感覚的表現と」です。「絵画とは何か」という設問を、版画というメディアによって再確認するという行為は、まさにこの作家の執念と私には映りましたが、一方では、ちょっと長閑でいい時代でもあったなあという感懐を抱きました――。

以上のような訳で、私は李禹煥氏が明日パリへ発つという日の夕方、氏に三人展の開催を伝えて協力を仰ぐことにしたのです。意向に任せる――という返事でしたので、早速、私は担当の野田尚稔学芸員といくどか相談をして、そこで浮かび上がったのが、即ちサブタイトルに謳った「版という場所で」ということになったのです。

「版という場所で」見る――三人の仕事は、ともに立体と平面（彫刻と絵画）の境界を行き来することで、そこにはさまざまな表現の試みと思索の運動が発生しました。そうした三人にとって、版画は実に意義深い表現媒体としての領域となったのは確かです。タブローやドローイングと同等の表現領域として、あるいはそれ以上の効験あらたかな領域として扱われていたようにも考えられます。

いずれにせよ、今回の展覧会は、創造性に富んだ現代美術家である三人の仕事を、「版という場所で」、あらためて考えてみる場となり、同時に版画の持つ表現領域の奥深さとその魅力をも充分に堪能していただける絶好の機会となることを念じております。

＊

私のノート（二〇二一年四月十六日）によると、李禹煥氏が来館されたのは、「驚異の三人!!」展の展示を終え、ちょうど昼食を始める直前であった。早速に二階の展示を見てもらい、李さんのランチをレストランに注文し、李さんからは手土産に百軒茶屋の大福を頂戴した。

食事をしながらあれこれ雑談になったが、李さんが高松次郎の再評価の話をしたので、私は若林さんにふれた。彩子夫人から聞いた話であるが――若林さんが国立がんセンターへ最終的に入院と決まった日、途中、高松氏の家の前を車で通ってもらいたい、とつよく要望されたというのである。李さんは無言で頷いているようすだった。

話がどうころんだのか忘れたが、そのあとヨゼフ・ボイスのいわゆる「野生のコヨーテ」の話になった。李さんがボイスに会って、直に訊くと、さすがのボイスもやはり「怖かったよ」と答えたという。

いろいろ興味深い話に関連して、最後に李さんは版画について言及し、思い出したよと言って、こんな話をされたのである。

――ずいぶん前のことだが、野田哲也氏と棟方志功さんのところを訪ねたことがあった。用件は憶えていないけれども、野田さんが志功さんから作品を受け取ることがあって、どういうわけか、ぼくもついて行った。すると志功さんが、ポケットから作品を取り出して、アイロンでのばせばいいんだよ――と言われたのには、びっくりした。

あるときに、この話を私が野田さんに尋ねると、
――フジテレビ近くの薬王寺町にあった自宅で関根伸夫や吉田克朗などと映写会なんかをやっていた時代の話で、棟方志功さんの件は憶えているが、用件などについては思い出せないという。

棟方志功さんがポケットから出した作品を、李さんは皺々《しわしわ》になっていたといい、野田さんは折り畳んであったというが、どちらにせよ、志功さんが言った、アイロンでのばせばいいんだよ――という、この修正能力には、些細なことに拘らないで、奔放な創造力を滾々《こんこん》と発揮した、あの「わだばゴッホ」の本領が秘められているような気がした。

追記

李禹煥氏にとって、高松次郎、若林奮の二人の作家が、どんなふうに享けとめられていたのか――そのことを氏が自身とのかかわりにおいて語った興味深いエッセイがある。

□高松次郎の「影」再考――「子供の影」（一九六九）を中心に
□若林奮の道

いずれも李禹煥『余白の芸術』（みすず書房、二〇〇〇年）に収録されている。

V

「李禹煥」展、国立新美術館・会場風景
《関係項—鏡の道》石、ステンレス　2021/2022

M氏へ——李禹煥展のこと

その後、いかがですか。そろそろ国立新美術館で開催の李禹煥展が終わって、あなたのところの兵庫県立美術館での開催のための展示作業が始まるころではないかと思います。物量が半端でないので、展示は、そうとうに苦労されることが予想されますが、あなたも東京会場での内覧会の日に、私と一緒に見ましたから、すでにその辺のことは想像の裡にあると思います。

それにしても、こんどの李禹煥展は、李さん自身が回顧展と称しているように、制作の初期から最近作までを一通り展示してありました。それだけではなく、《関係項—鏡の道》とか《関係項—アーチ》などのように、スケールの大きな作品が、会場の空間的条件を考慮した上で、新しく制作されていたのを知って、とにかくびっくりしました。私にはある種の決意を秘めて、李さんが事に当たっていたのではないか——そんなふうに想像させるものがありました。決意などというと、ちょっと深刻ですが、李さんの謂う回顧展の意味に解してみると、やはり展示空間とそれに見合う物量を欠くわけにはいかないし、またそれ相応の緊張感と説得力を要する仕事になったのは当然かもしれない。それだけ李さんのなかに期するものがあったということです。

個展の形式で、この美術館で開催されたこれまでの展示を振りかえってみると、私がとくにつよく印象に残しているのは、三宅一生展と安藤忠雄展で、安藤展のときは憶えているでしょう。同じサイズで仮設された《光の教会》の前で、あなたと一緒に、ただ、ただスゴイね！と呆れて、互いにことばを失ったのを――。今回の李禹煥展も表現の違いはあるけれども、美術館の展示空間との有機的な関連において、そうとうに工夫された展示となっていたという意味では、とてつもない展覧会ですね。

李さんは、じつに細かく計算し、練りにねった展示プランをつくったのではないかと思います。美術館入口の外に設置された《関係項―エスカルゴ》を見たときに、私は察知しましたよ。これはこんどの展覧会の前奏曲の役目を担った作品なのだと。来館者は、この作品を見て（私は内部をのぞきましたが）、何らかの身体的な体験を無意識の裡にしている気分になりましたが、来館者が実際に李さんの作品の前に立って観賞する上での、空間的な有機性を始動しやすくする一種の仕掛け（装置）なのだろうと思いました。

＊

体調をくずして、私が足元のおぼつかない恰好で訪ねたせいもあって、李美那さんが付き添って、あれこれと展示作業の苦労を語ってくれました。いまは大学で教鞭をとっているが、もともと彼女は美術館学芸員の叩《たた》きあげですからね。頼もしくなったなあと感心して話を聞いていて、案の定、《関係項─鏡の道》のところでよろけてしまい、鏡面仕上げのステンレス板の道の上を歩くのを控えてしまいました。

八年ほども前になるのかな――ヴェルサイユ宮殿の広大な庭園をつかった展示のとき、是非、見に来てほしいと、李さんに熱っぽく言われ（幸い現場に立つことが叶ったのですが）、そのときも私は骨折でギプスをした足を庇《かば》いながら杖をもって庭園をめぐったのです。あなたは展覧会開催前日のレセプションのパーティで、李さんや旧知のアルフレッド・パックマン氏に会ったということは聞きおよんでいましたが、さぞかし盛会だったのでしょうね。

それはともかく、いま、あらためて顧みると、あなたも私も妙な縁で李さんと繋がっているのを感じませんか。だいぶ前のことですが、あなたの館長室の書架に、李さんからの年賀状が飾ってあって、アレッと思ったことがあります。そのときだったと思う。あなたが、いつか李禹煥展をやってみたい——と言ったのを覚えています。

　いずれにせよ、こんどの李禹煥展は、あなたにとっても、私にとっても忘れられないものとなるでしょうね。

＊

　ところで、いま、こうしてあなたに手紙を書いていて気づいたことなのですが、新聞や雑誌が、これほど数多く、しかも大々的に報じた個展はめずらしいのではないかと思います。私は各紙誌の記事に目を通しましたが、教えられるところが多く、これもまた情報化時代の書き手の優秀さを示す証なのだろうと思いました。

　李さんの友人でもあったジグマー・ポルケが、李さんの絵画の特質を見抜いて、こんなことを言ったという。

「ゲルハルト・リヒターは絵画のあらゆる可能性を試みた。しかし彼がやってないことが一つある。それをお前がやっている。」（「ザ・ニューヨーク・タイムズ・スタイル・マガジン：Tジャパン」朝日新聞社／集英社、二〇二二年九月二十日）

この話を李さんから直に私が聞いたのは、展覧会に併せて行なわれた李さんと私の対談でのことでした（ユーチューブで配信されていると思うので確かめてみて下さい）。いささかヤンチャ気味の若いころのポルケの印象しかなかったので、私は驚きましたが、李さんの「余白の芸術」を考えるいいヒントになりました。いかに自分の観賞が表面的であったかを知らされたと言ってもいい。

普段、現代美術に関心のない知人から、李禹煥展を見て来たよと電話をもらい、相手がその印象を縷々《るる》のべるのを聞いていて、私は時代がようやく李禹煥という類まれなる作家の仕事に、近づいてきたように思いました。

新型コロナウイルスの感染の猛威は、いつまでつづくのか見当もつかない。理不尽な戦争も起こって、人類の至らなさを曝《さら》け出しているし、かつまた文明がいかに地球を傷めつけてきたか――を考えると、絶望的な気分にもなりますよね。李さんはあるとき（鎌倉の珈琲店で）、冗談のように、コロナ禍による自粛で不思議にも地球の自然環境は恢復に向かっている――と語ったことがあり、面白いことを言うなと聞いていたのです。ところが、この話は李さんからの「メッセージ」としてSCAI THE BATHHOUSE（スカイザ バスハウス）のウェブサイトの「作家ニュース」（二〇二〇年五月八日）で発信されているのを知りました。

「人間に求められているのは、自然への帰依でも文明人の開き直りでもなく、両方に跨った存在の両義的な自覚なのだろう。新型コロナウイルスで人間は、外部から脅かされ、内向きに縮込んだ。だがその間に文明に傷つき荒廃された自然は、一気に癒されみるみる蘇っている。自然に修復力があったということは、元来その一部である人類にもそれが備わっていよう。自然の生き生きする光景で、喜びが湧くのは、それが己の源だからだ。人類のダイナミズムは、人間力にあるのではない、自然が作用する野生力がもたらす。従って人間は存在の根源との対話で、文明の修正を成すことが出来る。」

部分的な抜き取りですが、それにしても勇気づけられるメッセージですよね。ここでは紙幅がないので触れませんでしたが、李さんの転機となったというバーネット・ニューマンの没後初の回顧展（ニューヨーク近代美術館、一九七一年）のこと、また抽象表現主義の画家たちのことを、アメリカに長くあったあなたに訊ねたいと思っていたのです。あらためて手紙を書きますね。お元気で――。

追記

バーネット・ニューマンはポーランドからのユダヤ系移民で、ニューヨーク市立大学で哲学を専攻。画家を志し、一時中断するが、その後、マーク・ロスコやロバート・マザウエルなどと、いわゆる「抽象表現主義」の評価を確立させた画家（彫刻家）の一人と目されるようになり、後代の作家たちや芸術運動にも影響を及ぼした。李さんの転機を促したというのも、そうした事例の一つだと言っていい。

このあたりのことを、私はM氏すなわち蓑豊氏に訊ねておきたかったのである。ところが旬日を経ずして、蓑さんが「バーネット・ニューマン：十字架の道行き―レマ・サバクタニ」展（MIHO MUSEUM、二〇一五年）の素晴らしい図録を送ってくれた。参考にしてほしいというのであった。お礼の電話を入れてしばらく話したあと、蓑さんはニューヨーク近代美術館の警備員でもあったロバート・ライマンが好きでねえ――と言って笑った。

もう一つの個展

先だって、私は鶯谷駅から谷中の広い墓地を通り抜けて、SCAI THE BATHHOUSE（スカイザバスハウス）で開催中の「李禹煥　物質の肌合い」展（二〇二二年九月十三日―十月十五日）を見に行った。かつての面影をとどめる界隈の雰囲気に、一種の懐かしさを覚えて、その余韻に浸ったまま画廊に入ったのだが、シーンと水を打ったような静かさのなかで、久しぶりに私は李禹煥氏の旧作と再会することになった。

一九七〇年代はじめから八〇年代半ばころの作品を主に構成され、和紙をつかった作品（四点）、板木を刻んだ作品（三点）、テラコッタの作品（三点）が壁面に、鉄の彫刻（一点）は平台に置かれていた。いずれも小品で整然とした展示である。私は作品と虚心坦懐に向き合い、その場で思いついたことを書けばいいと思っていた。

ところが、画廊主の白石正美氏と顔を合わせ、互いに日頃の無沙汰を詫びると、いかにも当然のように、目下、国立新美術館で開催中の、稀にみる大規模な李禹煥回顧展が、二人の話題となってしまったのである。

なかでも八月九日の内覧会後に催されたレセプションディナーは、白石さんにとっても忘れられないものとなったのではないかと思った。四十人ほどの国内外の美術関係者が、コロナ感染症対策の万全な配備のなかでテーブルを囲んだのだが、格式ばったものではなく、逢坂恵理子館長の挨拶のあと、主役の李さん、A・パックマン氏など一通りの話はあったが、いたって和やかな雰囲気の食事会となった。

会も半ばを過ぎたころのことであった。長身の白石さんがマイクを手にして遠慮深げに声を発したのである。白石さんは、こんどの李禹煥展に蔭ながら協力できたよろこびを語った。そして自分のところの画廊でも、小規模ながらきわめて意義のある個展を開催する、是非とも足を運んでいただきたい――と訥々とした英語で訴えたのである。ユーモアに溢れた話の味つけが、出席者の笑いを誘い享けていた。

画廊では、この話のつづきとはならなかったが、私はこの個展に至るまでのいきさつを聞いた。大回顧展では展示の適わない小振りな作品を選んだのは画廊の空間を考慮してのことだろうが、しかし、李さんの意向を酌んだ選択であっても、私はよくもこれだけの作品が並んだものだと感心した。個展の副題を「物質の肌合い」としたのは（?）とたずねると、李先生ですよ――という返事で、いかにも李さんらしい即物的な形容である。

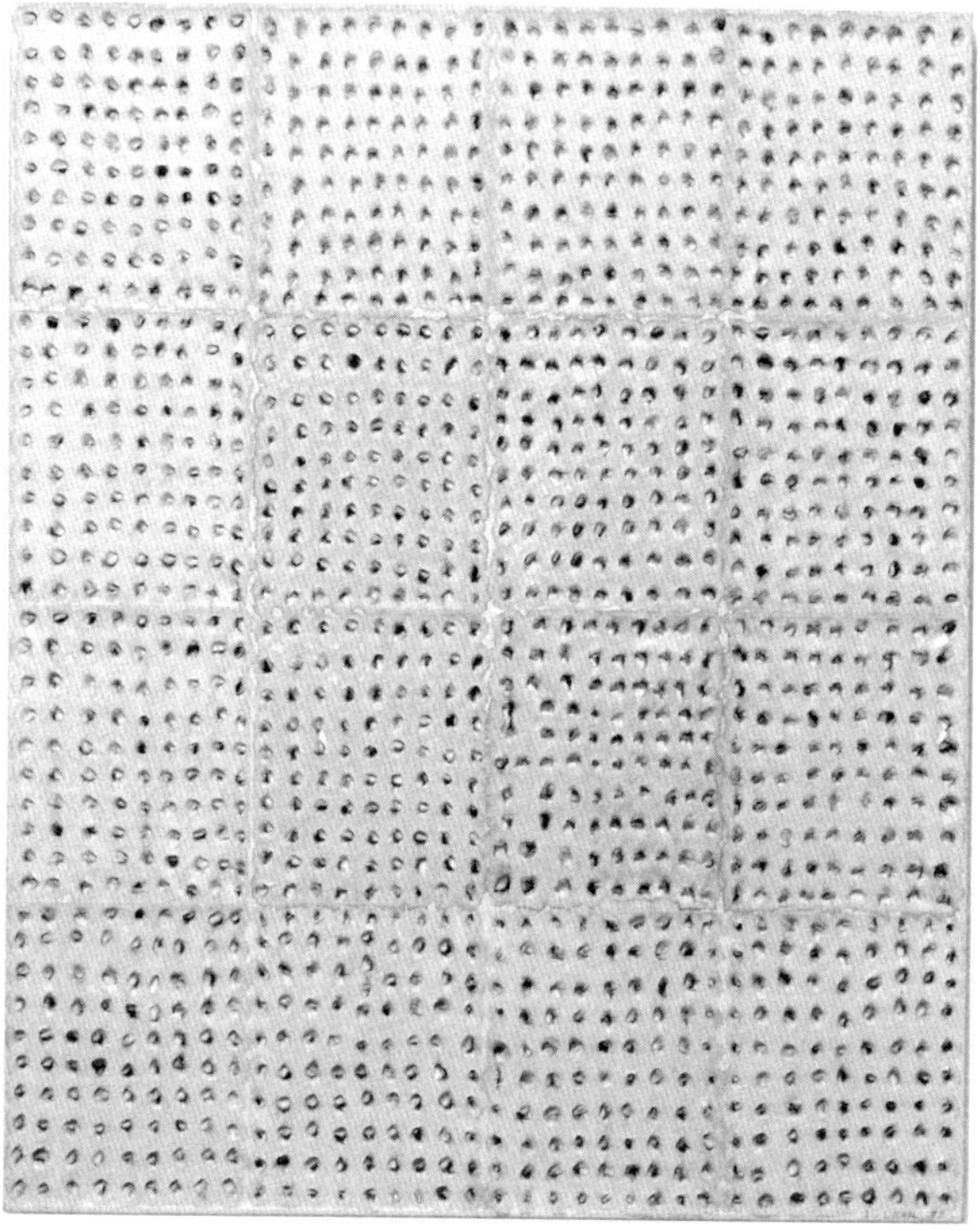

《突きより》 墨・和紙
1972 作家蔵
「李禹煥 物質の肌合い」展より

《刻みより》部分　木
1972　作家蔵
「李禹煥　物質の肌合い」展より

《点より》
岩絵具、膠・カンヴァス
1973　作家蔵

《線より》
岩絵具、膠・カンヴァス
1980
世田谷美術館蔵

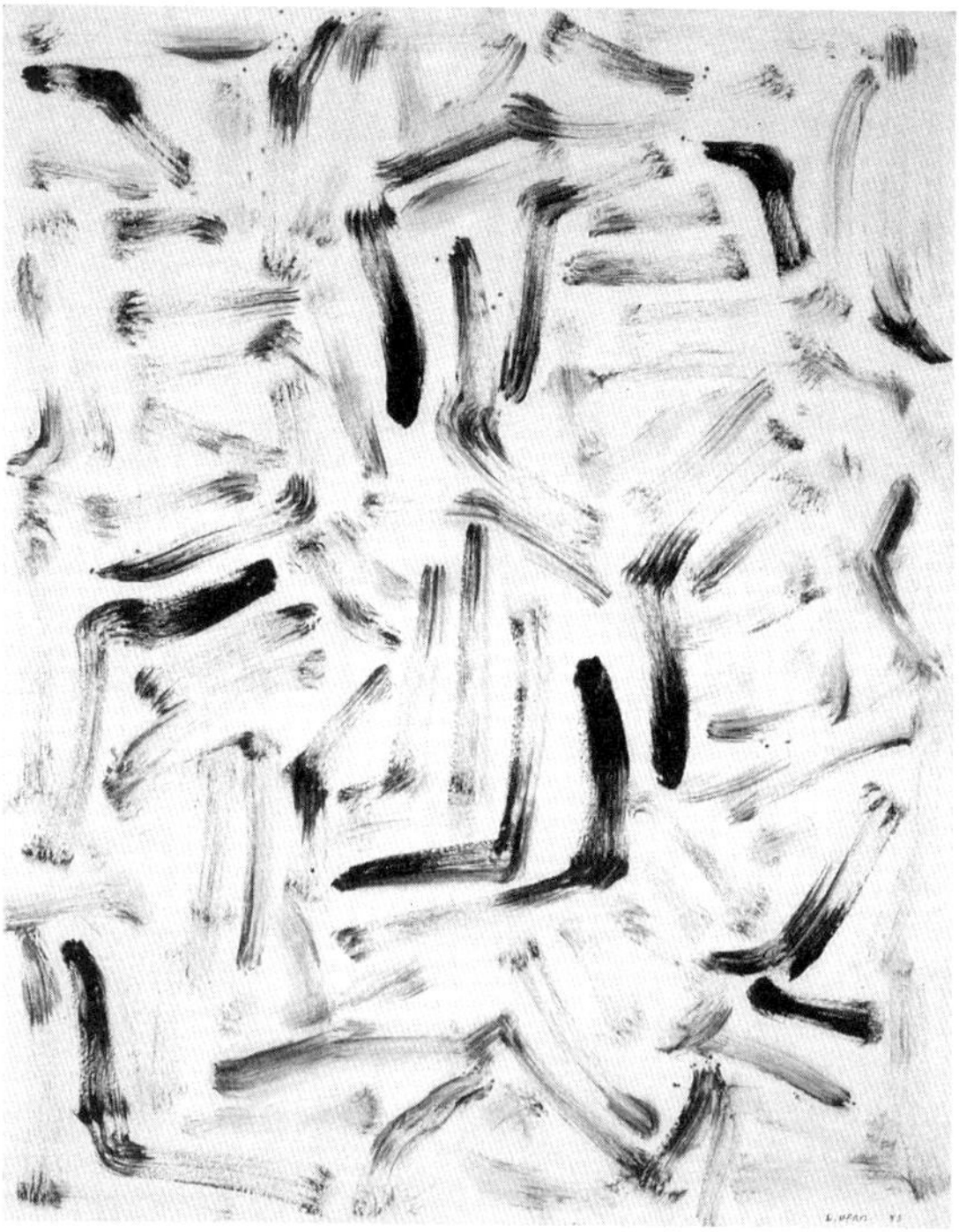

《風より》
岩絵具、油・カンヴァス
1983
神奈川県立近代美術館蔵

《対話》
岩絵具、油・カンヴァス
2009
李禹煥美術館蔵、香川県直島

和紙をつかった作品といっても、それは和紙の変容であり、ある意味で素材の和紙のもつ素性（紙の本質）を炙り出しているともいえる。障子に貼られた和紙、箔のように重ねられた和紙、あるいは薄墨に浸した筆でポンポンと穴を開けられた和紙などさまざまである。ほぼ同時期に、李さんの絵画の代名詞ともなる《点より》《線より》のシリーズへと展開する、その前触れの作品と見做してさしつかえない。

李さんの子どもの頃の体験で、紙への異常なまでの「偏愛」を語った一文（「白い紙」『時の震え』みすず書房、二〇〇四年）がある。白い紙を見ると、とにかく悪戯したくなったのだという。

「これらの行為は、実をいうと、人に自慢できる表現とは程遠い、秘儀に近いものであったろう。むしろ禁じられた領域であり、隠れて愉しむ後ろめたい営みであったはずだろう。それがいつの間にか、制作の名で呼ばれ、芸術という世界で認められ、画廊や美術館に引きずり出されて、すっかり見せ物と化したではないか。」

このあと「僕に関わった紙は、何処か僕の臭いに染まり、僕もまた、幾分紙の色に染まる。紙と僕のこの重なり合い染み合いが、僕に言い知れぬエクスタシーをもたらしてくれる」というのである。

まさに李さんのいう「肌合い」と結託した世界である。素材のなかに匿《かくま》われた素性との「密会」は、神秘思想的に言い直せば、いわゆる「秘儀参入」となるけれども、李さんは酔いを求めると同時に、醒めていたいと願望する性質のひとで、そういう点でいつも両義的であり、卓抜な思索者となっている。

和紙だけのことではない。木をつかった作品もそうである。板の表面を鑿《のみ》で刻み、まるでその規則的な刻みの跡は、さながら幾何学的な抽象画といってもいい。「肌合い」という点では、かなり抗力のある素材なだけに、道具の鑿を自在なものとする訓練を積んだのではないかと思う。テラコッタの仕事だって、いろいろな錯誤を介して焼物に対しての経験を積んだにちがいない。

こうした画技の経験が、李さんの仕事の基底を形成し、それはまた思索の運動にもつながったのではないかと推察した。

世界のアートシーンのなかに、独りの創造者としての李禹煥が、久しく立ちつづけてきた姿を見ようとするなら大回顧展に足を運ぶのも一策である。しかしこの小さな個展には、作家との「肌合い」を感じさせる妙な親しみを感じさせるものがある――そんな勝手な印象をこころに抱いて私は帰路についた。

追記

展示された作品とは別に、私は李さんの絵画の代名詞ともなる《点より》《線より》《風より》《対話》のシリーズからそれぞれ一点ずつを図版で紹介したのはほかでもない。会場で七〇年代の作品に接して、こうしたシリーズへと展開する、その前触れの作品として、ごく自然なかたちで私の記憶のなかに思い起こされたからである。蕾は展開すれば花になるけれども、折り紙の小舟が展開しても単なる平たい紙にもどるだけだ——といって、この「展開」ということばの両義性を指摘したのはヴァルター・ベンヤミンである。

会場にはテラコッタの作品があった。ずいぶん前（二〇〇六年四月）、村松画廊でテラコッタの作品展があったのを思い出した。その時に李さんと親しい面々が、なぜか顔を揃えた写真がある。

李さんと陶芸の話をしたことがあった。ちょっと神妙な表情で「危ない」と言って照れ笑いされたのをおぼえている。それはおそらく土のもつ底知れない魅力に翻弄されるのがオチで、迂闊に手を出すものではない——と言いたげであった。李さんには「土に魅かれて」「土を焼く」（いずれも『時の震え』所収）という随想がある。

「李禹煥展」会場にて　東京／京橋・村松画廊　2006
左から：中原佑介、酒井忠康、李禹煥、篠原有司男、三田晴夫、
川島良子、池田龍雄　撮影＝松尾一男

《関係項―アーチ・関ヶ原》のことなど

正月明け（二〇二三年一月二十日）に、岐阜県美術館（講堂）で第十一回円空大賞の表彰式があるというので、今回から選考委員に加わった私も出席を予定していた。折角の機会でもあり、かねてより気になっていた「せきがはら人間村生活美術館」（岐阜県不破郡関ヶ原町二〇六七番地）へ、その前日（十九日）に訪ねることにしたのである。

かねてより――というのは、二年前に開催された「若林奮・関ヶ原」展（二〇二一年三月）には出かけられなかったからである。

ところが、こんど李禹煥氏の《関係項―アーチ・関ヶ原》が、当地に設置されることになって、それを記念する「李禹煥　水彩およびドローイング」展（二〇二三年二月）を開催するという、その準備中でもあった。そんなこともかさなって、御当主の矢橋昭三郎氏のこころくばりで、私は、新幹線の岐阜羽島駅から彫刻家・近持イオリ氏の車に乗せてもらい、当地を訪ねて半日を過すこととなった。

《関係項—アーチ・関ヶ原》
ステンレス、石
2014/2023
せきがはら人間村生活美術館蔵
撮影＝近持イオリ

昼食の際には、せきがはら人間村の「未来食堂」で、矢橋さんをはじめ「生活美術館」の関係者と一緒に情愛のこもったランチをいただいた。その後、矢橋さんの案内で人間村の種々の記念館や個々の彫刻を見てまわった。

その印象は、また別の機会にするとして、ここでは《関係項—アーチ・関ヶ原》についての感想を書いておきたい。

「未来食堂」の窓から垣間見えた《関係項—アーチ・関ヶ原》は、まだ設置を終えていなかった。だから芝生の下に隠れてしまうアーチの接続部分は見えたが、アーチの両翼の「万成石」は据えられていなかった。国立新美術館での展示では、いささか石が大き過ぎたように思えたので、李さんに訊くと、いや、あの場には、あの不釣り合いがいいのだ——と言われて、私は、びっくりしたが、いわゆる「野外彫刻」というのは、造形的な約束の裡にあっても、そのことで彫刻を堅く縛ってはいけないのだとも思った。後日、設置された作品の写真を見て、人間村の作品の石は高さをかなり抑えられているのを知った。

こうした大胆な試みの変化は、ある意味で作品と設置場所との関係を考える、李さんの思索の運動と深いところでつながっているのだろうと想像した。ヴェルサイユ宮殿の広大な庭園をつかった展示の時のサイズよりは、もとより小振りだが、それでも高さ約四メートル三〇センチ、幅が五メートルもあって、「人間村」への入場の門のような役割を担っているのだろうと思った。

＊

絵画・彫刻いずれの作品でもかまわないが、私は李さんの作品が謎を孕んで「問い」を発しているのをときどき感じることがある。

それはどこか最終的な答えを保留しているというのか、言ってみれば、斯く斯く然々である――という答えを端から当てにしない「問い」であり、答えなのである。したがって、厄介といえば厄介なのだが、断定的にこうである――というような答えを導く「問い」ではない。

人間の心の働きの裡に生じる想像力を、どういうかたちで、その「問い」に対応させたらいいのかを、じっくりと考えてみる試みのなかに、それは発生する、ある種の「自覚」と解してもいい。まあ、作品を見ている第三者にも、制作者の自分と一緒に考えてみようじゃないか、あるいは、そんな心構えを示してくれたら嬉しいよ――といったような、李さんの提案なのである。

《関係項―アーチ・関ヶ原》が設置されてしばらくして、矢橋さんが近持さんをともなって、今後の相談に私を訪ねて美術館に来られたことがあった。短い話し合いで帰られたが、その時、矢橋さんは呟くように、李さんの「アーチ」を見ていると、元気をもらい、体調もよくなってきたみたいです――と言われた。毎日、「アーチ」の下を行き来されたのだろうと想像し、私も嬉しく思った。と同時に、私はもしかして将来、この「アーチ」は、一種のパワースポットとしての効能を発揮するかもしれない――とまで想像した。

コロナ感染症の不安と、戦争や核の恐怖に怯える日々の、大きな病を病んでいる今日の世界である。けれども、私は「せきがはら人間村」に立って、未来への希望が（ごく限られた場所ではあるが）、爽やかに生き生きとしたかたちで培われているのを実感できた――ということを書き添えておきたい。

＊

そうそう、国立新美術館での李禹煥展が、巡回先の兵庫県立美術館で開催され、旧友の館長蓑豊氏が、この三月をもって退任される、その最後の会議に出席する予定に併せた訪問となった。

年に一度の会議には、安藤忠雄氏も顔を出してくれて、毎回、夕べの会食を愉しんできたのだが、今回はつごうわるく欠席ということで展示の印象を伺う機会をもてなかった。《関係項―アーチ・関ヶ原》はすでに記したように、「せきがはら人間村」に設置されることになり、兵庫県立美術館では展示されなかったが、私の印象では、李さんの思索の運動における個々の課題が、とてもわかりやすい展示となっていたのではないかと思った。

前日に関西方面は、大雪に見舞われ、美術館を訪ねるのも難儀したが、展示の一部にも、その痕跡を留めている場所があった。《関係項―棲処（B）》である。これは李さんのル＝コルビュジエ批判（巨大な集合住宅）の作品と記憶しているが（私の間違いならお許し願いたい）、天井の空いている小部屋の床に、雑然と割られたスレートが敷きつめられ、ひんやりとしていて、まるでこの世とは思えない空間となっていた。うっすらと雪が被っていた。いかにも賽の河原を暗示させるような、ところどころに小さな塔のようにスレートが積み重ねられていた。

この作品は李さんの遠い記憶の風景にも由来しているのではないかと思えたが、私はシシュフォスの神話を想像したり、恐山の光景をかさねてみたりした。いずれも当てにはならない。「遊俳」の気分にも誘われたが、そんな柄ではない。私は蓑さんの館長室に引き返した。カメラに雪の《関係項―棲処（B）》を収めようと思い立ったからである。しかし、蓑さんとの話に夢中となって、結局、撮り忘れてしまったのである。

ほかに気になったのは《関係項―無限の糸》であった。円形テラスの空間を利用した作品である。最初の試みはフランスのアルルに「李禹煥アルル」を開館した時（二〇二二年四月）で、底面には鏡面仕上げのステンレスが敷かれ、上から糸が一本垂れ下がっている。その糸は底に沈んで行くようにも、天に昇って行くようにも見えるが、じつに頼りない。おそらく、この糸は「余白」とか「無限」――といった、李さんの思索の歯車を廻している語彙に関連しているのであろう、そんな気がした。

ところが風がつよくて、忙しく揺れている。そのせいか神妙な感じではなかったが、私は李さんの心境の変化を勝手に予感し想像して、暫し、その場に佇んでいた。李さんは、こんなことを書いていた。

「芸術家としての非日常性と常人としての日常性を併せ持つ激しい矛盾の二重性、つまり狂気と平常心を、一層豊かでダイナミックな生き方として営みたいものだが、容易でない。私を深いところで導き出し、燃えさせているのは果たして意識の山か無意識の海かそれとも――と、毎日自問自答を繰り返している。」（「芸術家のトポス」『両義の表現』みすず書房、二〇二一年）

《関係項—棲処（B）》　石　2017/2022
作家蔵　兵庫県立美術館展示

いつもの喫茶店で

　李禹煥さんがパリからもどると、一息ついたころに「お昼はどうですか――」と電話をもらうことがある。たいてい鎌倉駅近くの気楽な食事処で昼食をとり、そのあと行きつけの喫茶店で、差し障りのない世間話をするのが慣いとなっている。

　二時間以上も話し込んだりすることがある。けれども忙しい李さんなので、携帯電話に帰宅の報せの連絡が入ると、互いに別々のバスで家路につくのだが、振りかえってみると、李さんとコーヒーを飲んで、こうして気儘な時間を過すのは、かれこれ四半世紀近いのではないだろうか。

　いつも海外の話題は李さんからもたらされる。なかでも、わたしが逐一聞かされた話の一つが、先年（二〇一四年）開催されたヴェルサイユ宮殿の広大な庭園をつかった李さんの個展であった。

　内々に当人から実現までのいきさつを聞き、また開催後の自身の印象やフランスでの評

いつもの喫茶店「鎌倉館」での李禹煥氏（左）と著者
2014

判などいろいろと話を伺ったが、それはもっぱらこの喫茶店でのことである。

「何とかパリへくることはできないかな。これ以上の大きな個展はもうできないよ――」と、李さんには念を押されていた。

ところが、当面の仕事と脚のケガで見に行かれないかもしれないと諦めて、わたしは李さんにその旨をつたえていたのである。

運命の女神が囁いた――というのか、ケガは完治していなかったけれども、会期終了の少し前に、わたしはパリの日本文化会館へ行く用事が入って、何とか見ることが出来たのである。

李さんの巨大な《関係項―ヴェルサイユのアーチ》は、ヴェルサイユ宮殿庭園の入口に設営されて、まさに個展を象徴する作品となっていた。わたしは脚を引きずって、広大な庭園に設置された一点一点をゆっくりと見て廻った。そのときの感想を叙したのが、「虹の物差し」と題したエッセイ(『美術ペン』一四五号/『ある日の彫刻家』未知谷、二〇一七年に収録)である。巨大なアーチにあやかるつもりで付した表題だが、このときのことは、いまでも忘れられない想い出として心に深く刻まれている。

*

最近の李さんは、ヨーロッパだけでなしにアメリカにも活躍の舞台を拡げてきている。まさに飛行機で飛びまわっているという感じである。とても八十代半ばとは思えない李さんであるが、その日は妙に興奮したようすで、顔を合わせるなり、こんな話になった。

新型コロナウイルスの感染拡大で、どこにも出かけられない。まったくのお手上げだ。フランスやアメリカで、すでに進行中のプロジェクトがあって、このままではにっちもさっちもいかない。やっとの思いでパリから日本へ戻ったのはいいが、こんどは容易に出られない。ほんとうに困ってしまうよ——と、しきりに李さんはぼやく。

成り行きまかせのわたしと違って、いつだって困難な状況を打開する手立てを見つけようとするのが、これまでの李さんである。したがって手をこまねいてはいないはずだと思ったが、とにかく、二言目には困ってしまうよ——と言って、いつもの李さんとはいくらか雰囲気を異にしていたのである。

その日というのは、この六月下旬のこと。ちょうどひと月前に、李さんから新著の『両義の表現』（みすず書房）が届いたので、早速、わたしは「私の小さな机」「祖父の思い出」「デッサンを巡って」など数篇に目を通して礼状を認めた。

なかでも「私の小さな机」には、「この机に限らず、韓国の古い木工品に接すると、芳醇な時間の匂いがする——」（一三頁）とあって、その内容には何とも謂えない情趣と、一種のペーソスが浸みているので、わたしの好きな一篇となった。が、読後の余韻ということになると、李さんから話を聞いていた、パリのエコール・デ・ボザールでの講演の草稿に加筆した「デッサンを巡って」であった。

これは「美大の入試の面接で、石膏デッサンが酷評され、審査の先生たちに食ってかかったことがある――」(二三五頁)と、なかなか刺激的な始まりである。そのあといかなる経緯をたどって、李さんが美術家となったのかを語っているが、同時にデッサン(ないしドローイング)というのは、単に画家の専有するところではなく、もっと多岐の表現領域(小説・詩・作曲・建築設計・舞台稽古・展示などの例を挙げ)とも関連しているのだということで、李さんは、この年になってもあらためてデッサンの面白さにはときめきを感じると語っている。

デッサンについての、この一篇は、講演のためのものであった所為《せい》もあるが、じつに耳触りがよく、ユーモアもあって愉しい話の中身である。まあ、ちょっと立ち止まって考えてみたい――という気を読者にも起させる話となっているのではないだろうか。

それはともかく、新著の「あとがき」の冒頭で、李さんは感慨を込めて、こう書いている。

『余白の芸術』の刊行以後、二十余年の時が流れた。その間、私の仕事の根幹を成す絵画や彫刻の制作と展覧会が欧米で爆発的に増えるにつき、相対的に文章は減ってしまった。それでも私にとって書くことは、絶えず発想を掘り起し、考えを深めたり整理することなので、一時もペンを遠ざけたことはない――。」

いずれのエッセイも李さんが推敲を重ね、彫琢を加えた文章である。だから姿のいいのは当然である。新著のキーワードである「両義性」についても、李さんはメルロ＝ポンティを援用して、「――見ることは、対象を意識の構成物として見るデカルトやカントと違って、こちらの身体と連なっている世界の織物を知覚することである」（三〇二頁）と洒落た言い回しをしている。

李さんの思索の運動は見晴らしがいい。日本語の底を流れる言葉の湿り気に用心深いのは、李さん自身の言語感覚によっているのであろう。ざっくりとした言い方をすれば、李さんは豊かな詩想をもち、トコトン考えることの好きな人である。そうした李さんの意志の持続が齎《もたら》す思索の運動のなかに現象するのが、もしかしたら「両義の表現」ということなのであろう――というのが、わたしの解釈である。

*

いずれにせよ、その日、李さんが出会ったヨゼフ・ボイス、リチャード・セラ、ローマン・オパルカなど（こんどの新著でもふれているアーティストたち）の話には、李さんは懐かしく記憶の扉をひらく。しかし生き方の上に深く影を落とした記憶となると、そうはいかない。正直に怒りを爆発させる。

戦後に北朝鮮へ還った曹良奎の行末に関連する話（「イデオロギー幻想」）などは、他人事ではなく、自分の身の上に起きた話でもあるので、たとえ高名な作家であっても理不尽な行為があれば、そのことを何よりもまず正直に謝罪すべきだろう——と厳しく批判している。

李さんが、いささか鬱然とした気持ちになるのは、この種の話題が介入したときである。そういう気配を感じたときには、気分転換の意味で「詩」の話を振ると、なぜか李さんの顔がほんのりと色づいてきて、とてもいい表情に変わるのである。

昨年（二〇二〇年）二月に亡くなった古井由吉さんのことを、わたしが漏らした瞬間に、李さんは古井さんのリルケの詩を訳した『詩への小路　ドゥイノの悲歌』（講談社文芸文庫）を挙げて、顔をあからめながらあの吟味し尽くしたようなしつこい翻訳は普通ではない――と言い、そして何か古井さんの小説の情景でも思い浮かべたのか、口をもぐもぐさせて、古井文学の特徴を語るのである。

この「内向の世代」の作家と「モノ派」の李さんとの間に、ある種の「関係項」を手繰り寄せているようにも感じられたが、そうした古井さんと、何か一緒の仕事をする希望があったのに、実現に至らなかったことを、李さんは大変に悔やんでいるふうでもあった。

ふと、わたしの脳裏をよぎるものがあった。新著に収めた「雪舟異聞」に関してのことである。

コーヒー・タイムの李さんは、技法上の経験を踏まえて、雪舟の、あの《慧可断臂図》はいけないいね――と言っていたが、ＮＨＫ日曜美術館の「李禹煥・わたしと雪舟」（一月十日）では、あらかじめ釘をさされていたのか、やや遠慮勝ちに話していた。そして「雪舟異聞」では「みるほどに腑に落ちない」と述べながらも恣意の判断に陥らない気遣いを感じさせるものがあった。

わたしは、どことなくまるくなった李さんを見て、いつもの喫茶店の階段を降りた。

追記

「雪舟異聞」は、ひとまず脇に置くが、李さんの、この方面の関心の広さを示す事例があるので紹介しておきたい。「朝鮮王朝の絵画と日本」展（栃木、静岡、岡山などを巡回、二〇〇八年）を見ての感想だが、「東アジアの共同体を確認」という見出しで「朝日新聞」（二〇〇八年十二月六日）に談話として掲載されたものである。

「――三つの国では、圧倒的に中国の影響が大きい。朝鮮と日本には、ありがたくもあり、うっとうしくもあった。絵画のモチーフは共有しつつ、筆法や構図など、それぞれ少しずつ表現がズレてゆき、落ち着いてゆく過程が見られて面白い」と。さらに中国の山水画は「広大にして超絶」だが、朝鮮のそれは「親しみ」を感じさせ、日本に来ると「遊戯性」を増すという。「朝鮮が、日本への媒介になっている点」は興味深い。媒介されたことで「自分の色が出しやすい」面があったのではないか――と語っている。

ほんの一端だけの紹介に過ぎないが、ほかにも李さんには、こうした観点からの試論的エッセイがある。いずれも根底には自身の画作の体験からの示唆があって、傾聴に値する内容を持つものとなっている。

詩集『立ちどまって』を読む

先だって、たまたま李禹煥氏の詩集『立ちどまって』（書肆山田、二〇〇一年）を久しぶりに手にして、深く感銘を覚えるものがあった。李さんの『時の震え』、『余白の芸術』、『両義の表現』などのエッセイ集（すべて、みすず書房）は、しばしば読み直すので身近に置いてあるけれども、詩集というのは、一度目を通すと、たいてい書架に仕舞い込む。だから滅多に手にしない。

ところが『立ちどまって』には、いささか興奮を覚えるところがあって、私はここ数日持ち歩いて愉しんで読んでいるのである。なかでもとりわけ面白いと思って興味をいだいた詩があって、その一篇の詩をとっかかりにして、李さんとポエトリについて、少々、ここで語っておきたいと思っている。

それは「コーヒー」と題した詩である。

キャフェでのんびり注文したコーヒーを待っているうち、ふと別な約束を思い出し、コーヒー代を置いて急いで外に出た。そして知人とのキャフェで、またコーヒーを注文することになった。

先程は私のためにコーヒーが運ばれてきて、不在の席で宙に浮き、ギャルソンはそれを厨房に持ち帰っただろう。そしてなんの躊躇いもなく、流しに捨ててしまったに違いない。

知人と向かい合い、私が逃げたために、無用となって捨てられたはずのコーヒーについて話した。すると知人は、俺はそんなことに引き込まれたくないと、まるで関心を示さない。

それにしても、今眼の前のコーヒーを飲んでいながら、あの宙に浮いたコーヒーのことを思う身をどうしたらいい？　私は、こちらとあちらに引き裂かれて、二重の不在に陥ってしまったのか。

詩集には八十三篇の詩が収められている。もっとも新しい「振幅――1988―2000」からもっとも古い「少年――1952―1956」まで時を逆に遡った六部構成となっている。「コーヒー」は「振幅」に属していて、李さんのパリでの暮らしの一端を覗くことのできる一篇の詩と言っていい。詩のなかに「不在」とあるので、実存の痛みを読む気がするけれども、どことなくミスティックで、一種、乾いた影が差し込んでいて、いかにも異邦人のパリという雰囲気を醸し出している。私の連想はリルケやツェラン、あるいはジャコメッティなど――脈絡なく、その筋の人物の名が思い浮かんでくるけれど、それと比較すると（唐突な例であるが）、鎌倉駅近くのコーヒー店で、李さんと過ごす時空間は、パリのそれとは程遠く、どことなくもったりとしている。異邦人の意識ではなく、観光客に揉みくちゃにされた自分に気づいて、陰鬱な気持ちになるのがオチなのである。

ところが詩集をサラで読むと、ここには李さんの生得のユーモアと第三者を慮《おもんぱか》るペーソスのまじった詩があり、ちょっと甘美な陶酔を覚える詩などもあって、いかにも李さんの好きそうなワインを飲まされているような、そんな錯覚にも陥るのである。

「コーヒー」のようなストーリー性をもった詩のほか、俳句的な可笑しみを感じさせるごく短いもの、美術家としての体験から発想されたもの、あるいは石や樹などへの無言の対話や旅先の景色などなど、長期にわたっている詩作ではあるが、いずれの詩篇もスカッとしていて詩の雰囲気は明るい。

あらためて見ると、李さんが、その気になれば疾うに詩人にもなれたろうに――と思わせる詩集だが、それはそれとして、李さんとの時と場を異にした出会いの情景に重なって、私には妙に懐かしさを覚える詩がいくつもあった。

*

頼りない言い方だが、画家や彫刻家たちによる、いわゆる詩的世界というのは、煎じ詰めればアートとポエトリとが関連する世界で、李さん自身は詩集の「あとがき」で（いささか謙遜気味に）こう語っている。

「長年美術を専門にしているせいか、眼差しに関するものが多い。言葉自体の内在的な展開よりも、見ることの中で起こる出来事を言葉にしたような感じが著しい」と言い、そして「ぼくが書いているのは、詩を呼び起こす暗示のサインか身振りのような言葉にすぎまい」と。

いずれにしても李さんが韓国にあった高校生のころから詩作をはじめているのは、詩人への憧れの思いを多少なりとも抱いていたからではないだろうか。ところが、「言葉自体の内在的な展開よりも」とことわっているのは（私の想像だが）、李さんの韓国語から日本語への（またその逆の）言語の異質な体験が、ある意味で李さんのポエトリ（＝言葉の世界）を大きく揺さぶったせいではないかと思っている。

しかし話が「詩学」の厄介なところへと向きそうなので、これ以上突っ込まないけれど、幸い、この詩集の上梓にかかわった高橋睦郎氏の見事な「解説」がある。高橋さんは、こんな風に述べている。

李さんのポエトリが卓抜なのは、「万物照応」の鋭い感覚を持っているからである——と。そして「李禹煥の作品は、絵も、詩も、つき抜けて明るく、どこか澄んだ笑いをひびかせている」と結んでいる。

＊

李さんの最初期の詩に「乞食の煙草」というのがある。

むやみやたらと煙草を吸う乞食が登場する。そこにわが身を仮託した最後のフレーズが、「僕は時々乞食のように／素手で煙草を吸ってみる／いつか僕も見えない煙草で／美味しそうな顔になり／口から鼻から煙を出したい／僕は乞食になりたい」となっている。

カフカの小説にも似たような話があった気がするけれども（それはともかく）、若い李禹煥のこころの裡に芽生えた自由人としての生きようを、すでにして暗示している詩と解していい。私はこの詩を読んだときに、西脇順三郎氏の詩論集『斜塔の迷信』（研究社出版、一九五七年）の冒頭に、李さんのこの詩の意味を紐解くヒントのような一文があったのを急に想い起こしたのである。貧乏学生で碌な詩も書けなかった私が、いわば「詩学」の駆け込み寺とした詩人の西脇氏は、こんなふうに語っているのである。

「ポウエトリは天国と地獄との間をフラフラ歩いている乞食の夢であってポウエトリは天国でもなく地獄でもなく、ただその二つのものの間にある摩擦から起る一種の光線である。（中略）この春の野に出てキーツの壺を傾けるとき永遠の女性としてのポウエトリは永遠に天の一角へ向って傾くのである。しかし果てしない存在を考えると地上の思考は斜塔のような酒壺から流れ出る迷信にすぎない。」

いかにもイロニーの詩人らしい苦みを利かせたもの言いである。が、こんなふうに構えなくとも、要するに詩作というのは、斯く斯く然々の理由でとかを意識してつくるのではなく、言ってみれば偶然の産物なのかもしれない。その意味で厄介なのである。

『立ちどまって』の詩的内容を検討し、その本質に迫り得なかったのは、私の力量不足だから致し方ないが、しかし虚心に読んだ詩集の印象を記すと、李さんの詩の言語空間は、身体的だとも言えるし、また同時に宇宙的な拡がりを感じさせる。それはおそらく他者へのつよい語りかけをもっているからであろう。

追記

西脇氏によると、「詩の効用」というのは、まず「遠くへはなれているものを一つのものに連結」するという「転換作用」を起こすところにはじまり、それは「偶然をたよる他ない」と言っている。しかも詩というのは「人間が無になろうとする手段」でもある——

と。

この「転換作用」を、李さんが自身の制作体験に照らして、石と鉄板との組み合わせに至った経緯を語った「転移」という詩のあることを記しておきたい。

おわりに

この本は、李禹煥氏について、そのつど求めに応じて書いてきた私の文章を束ねたものです。ですから字数の制約によって、やむなく端折ったり、文章上の寄り道を避けたりしたものがいくつかありました。

こうして読み返す機会を経て、あらためて想起したこと、また教えられた事柄などもふくめて、文末に追記のかたちで少々書き添えることにしました。しかし、それでもあれこれと、私の脳裏に思い浮かんでくる事柄があり、本の後ろ書きというのは、なかなかサラッと行かなくて厄介なものだというのが実感です。

＊

それは二〇一五年八月十五日のことでした。たまたま終戦記念日に当たるこの日に、私は神奈川県立近代美術館（葉山）で「ある日の若林奮」と題して講演をしたのですが、何を話したのかもどういういきさつの講演だったのかも覚えていないのですが、私の話が終わってからのことでした。小宴がもたれ、その最初の挨拶に立ったのが李禹煥氏だったのです。李さんは同じ生まれ歳の若林奮氏に親愛の情を示しながら一言こういったのです。「彼は素晴らしい彫刻家です」と。そして「自分を見る鏡でもあったし、追いかけてトンネルをくぐると、その先にまたトンネルがあってね——」と笑っていましたが、上手い譬えで、めりはりのある短い挨拶で私はすっかり感心してしまいました。

どうしてこんな話をここでするのかというと、ずいぶんまえのことですが、李さんから「若林さんにはヨーロッパで活動してほしい、何とかしてやってきてくれないですかね——」と言われたことがあったのを想い出したからです。そしてまた、いつも孤軍奮闘の李さんを私は知っていました。ですからいい意味での同朋というか一種の戦友のような相棒が欲しかったのかもしれない、と、私は推察したのです。もしそうだとすれば、もっとも相応しい一人は、まちがいなく若林奮という作家になる、そんなふうな推察をしたのです。残念なことに李さんの希望は叶えられませんでしたが、私は李さんの勇気と奮闘の半端でないのを知って、いつも人間的なスケールの大きさをそうしたところに感じてきたのです。

考えてみれば李さんにおける「モノ派」の海外への弛みない喧伝の努力にしても似たような意識から発信されているのではないか、と、私は思います。また私のような「井のなかの蛙」にも、李さんは自身のパリ在住を熱心に勧めたというドミニク・ボゾ氏を紹介してくれたこともありました。氏がポンピドゥー・センター館長の職務を病気で離れる直前くらいのときでしたが、その温和な微笑はいまでも目に浮かびます。

*

振り返ってみると、私も再三にわたって李さんに声をかけてもらったおかげで、重い腰をあげて出かけるということが多々あったことを憶えています。本書でもふれたヴェルサイユ行などは、その最たる例でした。また韓国の釜山市立美術館に附設された李禹煥ギャラリー（「スペース・リウファン」）を実見することになったのもそうです。

折角のオープニングには、うかつにもケガをして出かけられませんでしたが、その後、幸運にも同館で韓国抽象美術の先駆けの画家「劉永国展」が開催され、そのシンポジウムに招かれたからです。この画家が文化学院で指導を受けた村井正誠の作品（世田谷美術館蔵）の展示を見届けることと、シンポジウムに出席するのが、私の主たる役目となっていました。

私は韓国の留学生についてよく知りませんでしたので、その方面のエキスパートでもある李美那さんを頼りに準備をし、生前の劉永国にお会いしたときの話や当時の韓国からの留学生たちのことなどを教えてもらい、お蔭で何とか任を果たし得たのでした。また旧知の金英順館長のこころくばりもあって、李さんが中学時代を過したという釜山市内の観光を急ぎ足で楽しむことができたのですが、ある韓国料理店に関係者七、八人と一緒に案内されたときのことでした。

大きなお膳に何十種類もの食べものがびっしりとならんでいる、その光景を目の当たりにして、正直、私はどう箸をつけていいのかを迷い、見よう見まねで食べていました。ところが、じつに和やかな雰囲気のうちに食事がすすんで行く——この一種独特で雑然とした食卓を眺めていて、そういえば、以前に李さんが韓国料理と現代彫刻を論じた一風変わったエッセイがあったのを思い出し、ああ、このことを言っていたのか、と、納得したのです。

あらためて出典をたしかめてみると、李さんのエッセイ集『時の震え』（みすず書房、二〇〇四年）に入っている「料理と彫刻」でした。

「――こんなに自由と解放感に満ちた豊かなお膳も珍しいのではないか。一つ一つきちっと味を付けて作り上げているこれらの料理を突き崩しつつ、あれやこれやを口のなかで出合わせる時、その新鮮な発見や作り直す楽しみは、到底他の料理からは期待出来るものではない。わずか五、六品の日本料理のお膳で、脱構築の快楽を見い出した今は亡きロラン・バルトが、韓国へ行ったならどんなに狂喜したことか。」

勝手な抜き取りですが、「脱構築の快楽」とは、いかにも李さんらしく、またこんなふうにも語っています。

「現代彫刻は見えなくなりつつある。幾つかの無表情の物を、あちらこちらに散らかしたり、緩やかに組み合わせたりして、その間に見る者の眼差を自由に歩かせたいのだ。」

こうした不確定なもの、また摑みがたいものとのかかわりのなかに生成する時空間に、李さんの仕事の矛先は向けられている。単に視覚的な領域にとどまらず、詩情（詩心）や音楽的雰囲気をも誘発し、ときには深遠な哲学のマジナイを仕掛けてくるような、そんな作品だってあるのに違いない。

私は「スペース・リ・ウファン」の開設のために用意された作品ではないかと思いましたが、真っ白いキャンバスの前に、ちょっとおどけたような表情の自然石の置かれた《対話》（二〇一五年）を見て、こういうのを「脱構築の快楽」と称してもいいのかなと想像しました。

「現代彫刻は見えなくなりつつある」などと言われると、穏やかでありませんが、まあ、観念の世界と想えば、これは無限にひらかれていることになり、そして「――その間に見る者の眼差を自由に歩かせたいのだ」となると、私の連想もさまざまな展開をみる。

例えば、一人の人間が歩いて通り過ぎるのをもう一人の人間が見ている、それだけで演劇行為は成り立つ、と語ったピーター・ブルックとか、数学だって情緒のはたらきで芸術と結びつく、と語った岡潔がいます。この人の存在は李さんに教えられたのですが、ある文芸批評家との対談で「理性」のなかを泳いでいる魚は自分が泳いでいるのがわからない、などと締めくくってあったので驚嘆しました。もう一人だけ挙げておきたい。通常の理念でとらえられない、割り切れない人間のことを「幻影の人」と呼びまた自称した詩人の西脇順三郎です。

おそらく（私の秘かな想像ですが）、李さんの思索の回路は、こうしたエスプリと卓見に富んだ人たちとどこかでつながっているような気がします。

＊

この春、旧知の田中爲芳氏にたまたまお目にかかったときに、雑談のなかで、私が「李禹煥ノート」の出版の相談をしたのが、本書の生まれるきっかけです。田中氏には『みづゑ』（編集長）時代からお世話になっていましたが、こんども一から十までご厄介になりました。その上、氏が意向を酌んで平凡社の下中順平社長に話をつなぎ、幸い快諾を得ることができて出版ということになったのです。両氏に感謝申し上げます。さらに、本書のデザインを引き受けていただいた中垣信夫氏、掲載図版等でお世話になった李禹煥美術館（香川県直島）の但馬智子氏（アートマネジメント部）、また日頃、何かと相談にのってもらった李美那さん、同僚の橋本善八氏、かつての同僚の水沢勉氏、年譜の作成をお願いした野田尚稔氏には、この場をかりてお礼申し上げたい。

二〇二三年九月

小坪の仮寓にて　著者識

李禹煥氏　フランス・アルルのアリスカン墓地にて　2020
撮影＝李美那

李禹煥　略年譜

一九三六年　六月二十四日、大韓民国の慶尚南道に生まれる。
一九五六年　夏、ソウル大学校美術大学を中退し、来日。
一九六一年　三月、日本大学文理学部哲学科を卒業。
一九六七年　三月、サトウ画廊にて個展を開催。この頃より多くの同時代の作家や美術評論家と出会う。
一九六八年　七月、東京国立近代美術館での「韓国現代絵画展」に出品。
一〇月、神戸須磨離宮公園での第一回現代彫刻展に関根伸夫が出品した《位相―大地》に大きな刺激を受ける。
一九六九年　三月、美術出版社の第六回芸術評論募集に「事物から存在へ」を応募し入選する。以降、制作と批評活動の両面で「モノ派」の誕生の中心的な役割を担う。

一九七一年　八月、京都国立近代美術館での「現代美術の動向」にガラスと石による作品を出品。
九月、第一〇回サンパウロ・ビエンナーレに韓国代表として出品。
一九七二年　一月、初の著書となる『出会いを求めて　新しい芸術のはじまりに』を田畑書店より刊行。『新版・出会いを求めて　現代美術の始源』（美術出版社）として二〇〇〇年に、『出会いを求めて　現代美術の始源［新版］』（みすず書房）として二〇一六年に再刊。
一九七三年　九月、第七回パリ青年ビエンナーレに韓国代表として出品。この後、ヨーロッパ各地で頻繁に発表するようになる。
一九七五年　八月、韓国では初となる個展をソウルの明東画廊にて開催。
九月、東京画廊での個展にて絵画作品《点より》、《線より》を発表。
この年、パリでは初となる個展をエリック・ファーブル・ギャラリーにて開催。
一九七六年　一一月、西ドイツ、ボッフムのmギャラリーにて個展を開催。
一九七七年　四月、東京都美術館での「第一三回現代日本美術展」にて、東京国立近代美術館賞を受賞。

一九七八年

六月、西ドイツ、フランクフルトのシュテーデル芸術インスティチュートとシュテーデル・ギャラリーでのボイスほか七人の作家による「彫刻なるもの」展に出品。

七月、西ドイツ、デュッセルドルフのクンストハレにて絵画作品を中心とした個展を開催。展覧会はその後、デンマークのルイジアナ現代美術館に巡回。

八月、西ドイツ、ボッフムのmギャラリーにて、現地で制作した大規模な立体作品14点による個展を開催。

一九八六年

六月、版画作品のレゾネとなる『李禹煥　全版画 1970―1986』をシロタ画廊より刊行。

一〇月、初の作品集となる『李禹煥』を美術出版社より刊行。

一九八八年

一月、岐阜県美術館にて日本では初の美術館での個展「今日の造形5 李禹煥展――感性と論理の軌跡――」を開催。

一月、『時の震え』を小沢書店より刊行。『時の震え〔新装版〕』（みすず書房）として二〇一六年に再刊。

一〇月、イタリア、ミラノの現代美術館にて個展「李禹煥　エクス・オリエンテ」を開催。

一九九三年　三月、作品集『LEE UFAN』を都市出版より刊行。

一九九四年　四月、神奈川県立近代美術館にて新シリーズ《照応》を中心とした個展「李禹煥」を開催。

一九九六年　六月、ミラノのムディィマ財団にて個展を開催。ムディィマ財団より作品集『Lee Ufan』を刊行。

一九九七年　九月、ソウルの国立現代美術館にて個展を開催。

一九九八年　一〇月、ロンドンのリッソン・ギャラリーにて個展を開催。この個展を機に著作を英訳した『Selected Writings by Lee Ufan 1970–96』をリッソン・ギャラリーより刊行。

一一月、フランスのジュ・ド・ポム国立美術館でアジアの現代作家としては初となる個展を開催。

二〇〇〇年　二月、三鷹市美術ギャラリーにて版画に焦点を当てた「李禹煥全版画展1970―1998」を開催。版画作品のレゾネとなる図録が刊行される。その後国内四会場を巡回。

一一月、『余白の芸術』をみすず書房より刊行。

二〇〇一年　四月、詩集『立ちどまって』を書肆山田より刊行。
六月、ドイツのボン市立美術館にて個展「Gemälde, 1973 bis 2001」を開催。

二〇〇三年　九月、第一三回高松宮殿下記念世界文化賞（絵画部門）を受賞。

二〇〇四年　一〇月、韓国、ソウルのホアム美術館とロダン・ギャラリーにて個展「LEE UFAN–The Search for Encounter」を開催。

二〇〇五年　八月、『The Art of Encounter』をロンドンのリッソン・ギャラリーより刊行。

二〇〇六年　九月、横浜美術館にて一九九〇年以降の作品で構成した個展「李禹煥　余白の芸術」を開催。

二〇〇七年　一月、毎日芸術賞を受賞。

二〇〇八年　六月、第五二回ヴェネチア・ビエンナーレで個展「Resonance」を開催。

二〇一〇年　一二月、日本美術オーラル・ヒストリー・アーカイヴのインタヴューを受け、自身の経歴について詳細に語る。翌年ウェブサイト上で公開。
六月、香川県直島に安藤忠雄の設計による李禹煥美術館が開館。

二〇一一年　六月、アメリカのグッゲンハイム美術館にて北米の美術館では初となる

二〇一四年　回顧展「Marking Infinity」を開催。
二〇一五年　六月、フランスのヴェルサイユ宮殿にて個展を開催。
二〇一六年　四月、韓国の釜山市立美術館に Space Lee Ufan が完成。
四月、ジルケ・フォン・ベルスヴォルト＝ヴァルラーベ著、水沢勉訳『李禹煥　他者との出会い　作品に見る対峙と共存』がみすず書房より刊行。
二〇一九年　二月、フランスのポンピドゥーセンター・メスにて個展「Habiter le temps」を開催。
九月、アメリカのハーシュホーン美術館と彫刻庭園にて個展「Open Dimension」を開催。
一一月、『李禹煥　全版画 1970―2019』（阿部出版）の刊行に合わせて、シロタ画廊にて新作版画の個展を開催。
二〇二〇年　五月、新型コロナウイルスの世界的パンデミックについて、SCAI THE BATHHOUSE（スカイ ザ バスハウス）のウェブサイト上でメッセージを発表。
二〇二一年　五月、『両義の表現』をみすず書房より刊行。
一〇月、フランス・アルルのアリスカン墓地にて個展「Requiem」を開催。

二〇二二年　四月、アルルに個人美術館となる李禹煥アルルを開館。
八月、東京の国立新美術館にて大規模な回顧展を開催。展覧会はその後、兵庫県立美術館に巡回。

二〇二三年　九月、SCAI THE BATHHOUSE（スカイ ザ バスハウス）にて「李禹煥 物質の肌合い」展を開催。
一〇月、ドイツ、ベルリンのハンブルガー・バーンホフ現代美術館にて、回顧展を開催。

＊本略年譜の編纂にあたり、『李禹煥』（平凡社、二〇二二年）所載の小林公編「関連年表」を参照しました。ここに記して感謝を申しあげます。

編＝野田尚稔（世田谷美術館）

p.91　④《関係項―波長・空間》（風・羽根）ステンレス・スチール　立面プレート:各 150.0×500.0×1.5cm　2014　作家蔵　ヴェルサイユ宮殿庭園（カタログより）

p.92　⑦《関係項―使者の四側面》鉄、石　鉄プレート：各 400.0 × 250.0 × 2.0cm（4 枚）、石：高さ 90.0 ～ 120.0cm（4 個）　2014　作家蔵　ヴェルサイユ宮殿庭園（カタログより）

p.93　⑧《関係項―星の影》鉄、石、大理石・砂利　サークル：直径 40m、37 鉄プレート：各 300.0 × 120.0 × 1.5cm、7 個の石：高さ 105.0 ～ 200.0cm　2014　作家蔵　ヴェルサイユ宮殿庭園（カタログより）

p.94　⑨《関係項―墓、アンドレ・ル・ノートルへのオマージュ》松脂・土の混合物で覆った穴、鉄、石　穴：300.0 × 270.0 × 180.0cm、底の鉄プレート：268.0 × 296.0cm、石：高さ 90.0cm　2014　作家蔵　ヴェルサイユ宮殿庭園（カタログより）

p.104　《遺跡地にて　4》リトグラフ・アルシュ紙　64.0 × 82.0cm　1984

p.111　パリ、ジュ・ド・ポム国立美術館での「李禹煥展」案内状　1997 – 98

p.114　上:《点より　4》リトグラフ・アルシュ紙　40.0 × 54.0cm　1998
下:《 Dialogue 2019 1 》木版・楮紙　162.0 × 130.0cm　2019

p.126　「李禹煥」展、国立新美術館・会場風景　《関係項―鏡の道》石、ステンレス　石：高さ 90.0cm（2 個）、ステンレス板：2.0 × 100.0 × 1000.0cm　2021/2022　作家蔵

p.136　《突きより》墨・和紙　159.7 × 129.7 × 6.0cm　1972　作家蔵　「李禹煥　物質の肌合い」展より

p.137　《刻みより》部分　木　128.5 × 149.7 × 6.0cm　1972　作家蔵　「李禹煥　物質の肌合い」展より

p.138　《点より》岩絵具、膠・カンヴァス　162.0 × 112.0cm　1973　作家蔵

p.139　《線より》岩絵具、膠・カンヴァス　218.5 × 290.5cm　1980　世田谷美術館蔵

p.140　《風より》岩絵具、油・カンヴァス　227.3 × 182.0cm　1983　神奈川県立近代美術館蔵

p.141　《対話》岩絵具、油・カンヴァス　218.0 × 291.0cm　2009　公益財団法人福武財団、李禹煥美術館蔵、香川県直島

p.145　「李禹煥展」会場にて　東京／京橋・村松画廊　2006　左から：中原佑介、酒井忠康、李禹煥、篠原有司男、三田晴夫、川島良子、池田龍雄　撮影=松尾一男

p.147　《関係項―アーチ・関ヶ原》ステンレス、石　アーチ：2.0 × 427.0 × 500.0cm、石:高さ 100.0cm（2 個組）　2014/2023　せきがはら人間村生活美術館蔵　撮影=近持イオリ

p.153　《関係項―棲処（B）》石　サイズ可変　2017/2022　作家蔵　兵庫県立美術館展示

p.155　いつもの喫茶店「珈琲店・鎌倉」での李禹煥氏（左）と著者・酒井忠康　2014

p.178　李禹煥氏　フランス・アルルのアリスカン墓地にて　2020　撮影=李美那

図版リスト

カヴァー 《線より》岩絵具、膠・カンヴァス 182.0×227.0cm 1978 公益財団法人福武財団、李禹煥美術館蔵、香川県直島

p.4 制作中の李禹煥氏 パリのアトリエにて 2022 撮影=李美那

p.14 《項》鉄、石 壁面鉄板：139.4×123.3×1.2cm、床鉄板：1.2×114.0×128.0cm、石：高さ575cm 1984 神奈川県立近代美術館蔵

p.19 《項》鉄、石 50.0×240.0×150.0cm 1977 鎌倉・神奈川県立近代美術館蔵 撮影=酒井啓之

p.26 《項》鉄、ガラス、石 プレート：140.0×171.0cm、石：高さ約40cm 1968/69 作家蔵（鎌倉・李禹煥氏宅の庭に設置）

p.38 《項》鉄、石 60.0×200.0×200.0cm 1985 葉山・神奈川県立近代美術館蔵 撮影=高嶋雄一郎

p.57 《FROM LINE 12》ドライポイント・アルシュ紙 27.5×33.8cm 1998

p.60 グッゲンハイム美術館、ニューヨーク「Marking Infinity」展カタログ 2011

p.65 《関係項―沈黙》鉄、石 鉄板：280.0×210.3×1.2cm、石：高さ70.5cm 1979/2005 神奈川県立近代美術館蔵

p.67 《関係項―不協和音》ステンレス、石 ステンレス棒：350.0cm（2本組）、石：高さ35.0cm、45.0cm（2点組） 2004/2022 作家蔵

p.73 ハーシュホン美術館、ワシントン「LEE UFAN:Open Dimension」展招待状 2019–2020

p.78 《関係項―点・線・面》コンクリート・ポール、鉄、石 ポール：高さ18.5m、鉄プレート：3.0×400.0×350.0cm 2010 公益財団法人福武財団、李禹煥美術館蔵、香川県直島 撮影=山本糾

p.79 《関係項―合図》鉄、石 鉄プレート：260.0×230.0×3.0cm、石：126.0×127.0×103.0cm 2010 公益財団法人福武財団、李禹煥美術館蔵、香川県直島 撮影=山本糾

p.87 「李禹煥 ヴェルサイユ」展カタログ表紙 2014 ヴェルサイユ宮殿、フランス

p.88 「李禹煥 ヴェルサイユ」展の宮殿庭園・作品配置図（カタログより）

p.89 ②《関係項―タイタンの杖》（鉄、石 鉄棒：500.0×10.5cm、石：175.0×180.0×145.0cm 2014 作家蔵）の前に立つ著者 ヴェルサイユ宮殿庭園
右手の遠方に見えるのが①《関係項―ヴェルサイユのアーチ》鉄、石 鉄アーチ:1113.0×1500.0×3.0cm、2個の石：220.0×175.0×135cm、260.0×1140.0×240.0cm、鉄プレート：3300.0×300.0 ×3.0cm 2014 作家蔵

p.90 ④《関係項―波長・空間》（波・カーペット）ステンレス・スチール 平面プレート：各150.0×500.0×1.5cm 全長：243.2m 2014 作家蔵 ヴェルサイユ宮殿庭園（カタログより）

初出一覧

◎はじめに（書き下ろし）

I

◎李禹煥氏の仕事―「李禹煥」展図録（神奈川県立近代美術館、一九九三年）／『彫刻の絆』（小沢書店、一九九七年）収録。

II

◎省察に富む暗示――『余白の芸術』―「美術本の一隅」No.60（静岡新聞、二〇〇八年八月）／『鞄に入れた本の話』（みすず書房、二〇一〇年）収録。

◎創造的な介在―『Art of our time 1998-2008』（日本美術協会、二〇〇九年）／『彫刻家との対話』（未知谷、二〇一〇年）収録。

◎平凡な庭師のように―「LEE UFAN」展（the Ho-Am Art Gallery & Rodin Gallery, Seoul 二〇〇三年一〇月）図録のための草稿／『彫刻家との対話』（未知谷）収録。

III

◎場所との照応―未発表／『ある日の彫刻家』（未知谷、二〇一七年）収録。

◎虹の物差し―『美術ペン』一四五号、二〇一五年春／『ある日の彫刻家』（未知谷）収録。

IV

◎版画――ある対談から―未発表

◎新作版画のこと―「李禹煥 全版画 1970–2019 出版記念展」リーフレット（シロタ画廊、一一月）。

◎版という場所で―「驚異の三人!! 高松次郎・若林奮・李禹煥」展図録（世田谷美術館、二〇二〇年四月）。

V

◎M氏へ――李禹煥展のこと―『美術ペン』一六七号、二〇二二年冬。

◎もう一つの個展―「李禹煥 物質の肌合い」展図録（SCAI THE BATHHOUSE、二〇二三年三月）。

◎《関係項―アーチ・関ヶ原》のことなど―『美術ペン』一六八号、二〇二三年春。

◎いつもの喫茶店で―『森ノ道』三四号、二〇二一年夏。

◎詩集『立ちどまって』を読む―『美術ペン』一六九号、二〇二三年夏。

◎おわりに（書き下ろし）

著者紹介　酒井忠康（さかい・ただやす）

一九四一年北海道生まれ。一九六四年慶応義塾大学文学部卒業後に神奈川県立近代美術館に勤務。同館館長を経て、現在、世田谷美術館館長。幕末明治期の美術をテーマとした『海の鎖』（小沢書店）、『開化の浮世絵師清親』（せりか書房）で注目され、その後、美術批評家としても活躍。

主要著書に『覚書 幕末・明治の美術』（岩波書店）、『彫刻家への手紙』『彫刻家との対話』『ダニ・カラヴァン』（以上、未知谷）、『若林奮　犬になった彫刻家』『芸術の海をゆく人　回想の土方定一』『芸術の補助線』（以上、みすず書房）、『片隅の美術と文学の話』『美術の森の番人たち』（以上、求龍堂）、『横尾忠則さんへの手紙』（光村図書出版）、『遅れた花――私の写真ノート』（クレヴィス）などがある。

余白と照応　李禹煥ノート

発行日　二〇二三年十一月二十四日　初版第一刷

著者　酒井忠康

編集　田中為芳

装幀・デザイン　中垣信夫＋中垣呉〔中垣デザイン事務所〕

文字入力　片桐康則

発行者　下中順平

発行所　株式会社平凡社
〒一〇一―〇〇五一
東京都千代田区神田神保町三―二九
電話：〇三―三二三〇―六五七三（営業）
ホームページ：https://www.heibonsha.co.jp/

印刷　株式会社東京印書館

製本　大口製本印刷株式会社

ISBN978-4-582-20734-7